O OBSTÁCULO
É O
CAMINHO

O OBSTÁCULO É O CAMINHO

A ARTE DE TRANSFORMAR PROVAÇÕES EM TRIUNFO

RYAN HOLIDAY

Tradução de Alexandre Raposo

Copyright © 2014 by Ryan Holiday

Todos os direitos reservados, inclusive o direito de reprodução total ou parcial em qualquer meio.

Esta edição foi publicada mediante acordo com Portfolio, um selo da Penguin Publishing Group, divisão da Penguin Randon House LLC.

TÍTULO ORIGINAL

The Obstacle is the Way

PREPARAÇÃO

Sílvia Leitão

REVISÃO

Adriano Barros
Ronald Monteiro

DIAGRAMAÇÃO

Julio Moreira | Equatorium Design

DESIGN DE CAPA

Erin Tyler

ADAPTAÇÃO DE CAPA

Antonio Rhoden

CIP-BRASIL. CATALOGAÇÃO NA PUBLICAÇÃO
SINDICATO NACIONAL DOS EDITORES DE LIVROS, RJ

H677o

    Holiday, Ryan
    O obstáculo é o caminho : a arte de transformar provações em triunfo / Ryan Holiday ; tradução Alexandre Raposo. - 1. ed. - Rio de Janeiro : Intrínseca, 2022.

    Tradução de: The obstacle is the way: the timeless art of turning trials into triumph
    ISBN 978-65-5560-408-5

    Motivação (Psicologia). 2. Técnicas de autoajuda. I. Raposo, Alexandre.II. Título.

22-78103   CDD: 158.1
                                                 CDU: 159.947.5

Gabriela Faray Ferreira Lopes - Bibliotecária - CRB-7/664

[2022]

Todos os direitos desta edição reservados à
EDITORA INTRÍNSECA LTDA.
Av. das Américas, 500, bloco 12, sala 303
22640-904 – Barra da Tijuca
Rio de Janeiro — RJ
Tel./Fax: (21) 3206-7400
www.intrinseca.com.br

SUMÁRIO

Prefácio 7
Introdução 11

PARTE I: PERCEPÇÃO

A disciplina da percepção 27
Reconheça o seu poder 34
Acalme os seus nervos 39
Controle as suas emoções 43
Pratique a objetividade 49
Altere o seu ponto de vista 53
Depende de você? 58
Viva no momento presente 64
Pense diferente 68
Encontre a oportunidade 73
Prepare-se para agir 80

PARTE II: AÇÃO

A disciplina da ação 87
Mantenha-se em movimento 93
Pratique a persistência 99

Interaja	105
Siga o processo	110
Faça o seu trabalho, e o faça direito	116
Certo é aquilo que funciona	121
Em louvor ao ataque de flanco	126
Use os obstáculos contra eles mesmos	132
Canalize a sua energia	138
Assuma a ofensiva	142
Prepare-se para que nada disso funcione	147

PARTE III: VONTADE

A disciplina da vontade	153
Construa a sua cidadela interior	160
Antecipação (pensamento negativo)	165
A arte da aquiescência	171
Ame tudo o que acontece: *amor fati*	177
Perseverança	183
Algo maior do que você mesmo	189
Medite sobre a sua mortalidade	196
Prepare-se para começar novamente	201

Considerações finais: O obstáculo torna-se o caminho	203
Epílogo: Você agora é um filósofo. Parabéns.	211
Agradecimentos	217
Bibliografia selecionada	221
Lista de leitura estoica	229
Outros livros e autores	231
Matérias sobre estoicos e recursos on-line (conteúdo em inglês)	233
Leituras recomendadas	235

PREFÁCIO

Certa noite, no ano 170 d.C., em sua tenda na linha de frente da guerra na Germânia, Marco Aurélio, imperador do Império Romano, sentou-se para escrever. Ou talvez fosse antes do amanhecer, no seu palácio em Roma. Ou quando roubou alguns segundos para si mesmo durante os jogos, alheio à carnificina lá embaixo, na arena do Coliseu. A localização exata não importa. O importante é que esse homem, hoje conhecido como o último dos Cinco Bons Imperadores, sentou-se para escrever.

Não para um público ou visando ser publicado, mas para si mesmo, *para si mesmo*. E o que ele escreveu é, sem dúvida, uma das fórmulas mais eficazes da história para superar todas as situações negativas que podemos encontrar na vida. Uma fórmula para prosperar não apenas em função do que aconteça, mas *por causa disso*.

Naquele momento, ele escreveu somente um parágrafo, que era parcialmente original. De qualquer forma, quase todo aquele pensamento podia ser encontrado nos escritos de seus mentores e ídolos. Contudo, em apenas 85 palavras, Marco Aurélio definiu e articulou claramente uma ideia atemporal que eclipsou os nomes dos grandes filóso-

fos que vieram antes dele: Crisipo, Zenão, Cleantes, Ariston, Apolônio, Júnio Rústico, Epicteto, Sêneca, Musônio Rufo.
E isso é mais do que suficiente para nós.

Nossas ações podem ser impedidas... mas não há como impedir nossas intenções ou disposições, porque podemos nos acomodar e nos adaptar. A mente adapta e converte para os seus próprios propósitos os obstáculos às nossas ações.

Então, concluiu com poderosas palavras destinadas a se tornarem uma máxima:

O que impede a ação antecipa a ação.
O que está no caminho torna-se o caminho.

Nas palavras de Marco Aurélio está o segredo de uma arte conhecida como *virar os obstáculos de cabeça para baixo* ou agir com "uma condição reversa", de modo que sempre exista uma saída ou outro caminho para você chegar ao seu destino, para que problemas ou contratempos sejam sempre esperados e nunca permanentes, certificando-nos de que aquilo que nos impede pode nos fortalecer.

Vindo desse homem em particular, essas não eram palavras insignificantes. Em seu próprio reinado de aproximadamente dezenove anos, ele vivenciou guerras quase constantes, uma terrível epidemia, possível infidelidade, uma tentativa de ascensão ao trono por parte de um de seus aliados mais próximos, árduas e repetidas viagens por todo o império — da Ásia Menor até a Síria, o Egito, a Grécia e a Áustria —, um tesouro se esgotando rapidamente, um meio-irmão incompetente e ganancioso como coimperador, e assim por diante.

E, pelo que sabemos, ele realmente encarou cada um desses obstáculos como uma oportunidade para praticar alguma virtude: paciência, coragem, humildade, desenvoltura, razão, justiça e criatividade. O poder que ele detinha nunca pareceu subir-lhe à cabeça — nem o estresse ou o fardo. Ele raramente se excedia ou ficava enfurecido, e nunca sentia ódio ou amargura. Como observou o ensaísta Matthew Arnold em 1863, Marco Aurélio ocupava a posição mais elevada e poderosa do mundo — e a opinião geral das pessoas ao seu redor foi a de que ele provou ser digno de tudo isso.

Ocorre que a sabedoria contida naquela breve passagem de Marco Aurélio também pode ser encontrada em outras pessoas, homens e mulheres que, assim como ele, a seguiram. Na verdade, essa é uma presença constante através dos tempos.

Podemos identificar a ligação entre aqueles dias de declínio e queda do Império Romano e a efusão criativa do Renascimento e as descobertas do Iluminismo. Tal sabedoria é identificada claramente no espírito pioneiro do Oeste norte-americano, na perseverança da causa da União durante a Guerra Civil e na agitação da Revolução Industrial. Reaparece na bravura dos líderes do movimento pelos direitos civis e se destaca nos campos de prisioneiros no Vietnã. E, mais recentemente, desponta no DNA dos empresários do Vale do Silício.

Essa abordagem filosófica é a força motriz dos homens que venceram sozinhos na vida e o socorro daqueles que ocupam posições de grande responsabilidade ou grande dificuldade. No campo de batalha ou na sala de reuniões, através dos oceanos e durante muitos séculos, membros de todos os grupos, gêneros, classes, causas e negócios tiveram que enfrentar obstáculos e lutar para superá-los — aprendendo a virar esses obstáculos de cabeça para baixo.

Essa luta é uma constante em suas vidas. Conscientemente ou não, esses indivíduos faziam parte de uma tradição ancestral, que empregaram para navegar no terreno atemporal de oportunidades e dificuldades, provações e triunfos.

Somos os legítimos herdeiros dessa tradição. É nosso direito de nascença. Seja o que for que enfrentemos, temos uma escolha: sermos impedidos por obstáculos ou seguirmos em frente e os superarmos.

Podemos não ser imperadores, mas o mundo ainda nos testa e pergunta frequentemente: você é merecedor? Você consegue superar as dificuldades que inevitavelmente atrapalham o seu caminho? Você vai se levantar e nos mostrar sua força?

Muitas pessoas responderam afirmativamente a essas perguntas. E uma geração ainda mais rara provou que não apenas tem o necessário para tanto, como também prospera e se recupera a cada um desses desafios, que isso as torna melhores do que seriam se nunca tivessem enfrentado a adversidade.

Agora é sua vez de descobrir se você será um deles, se os fará companhia.

Este livro lhe mostrará o caminho.

INTRODUÇÃO

Esta questão à sua frente. Este problema. Este obstáculo — este assunto frustrante, infeliz, problemático e inesperado que o impede de fazer o que deseja. Aquilo que você teme ou secretamente espera que nunca aconteça. E se não fosse tão ruim assim?

E se, embutidos ou inerentes a isso, surgissem certos benefícios — benefícios apenas para você? O que você faria? O que acha que a maioria das pessoas faria?

Provavelmente o que sempre fizeram e o que você está fazendo agora, ou seja: nada.

Convenhamos: a maioria de nós está totalmente paralisada. Quaisquer que sejam os nossos objetivos individuais, permanecemos inertes diante dos muitos obstáculos que encontramos pela frente.

Gostaríamos que isso não fosse verdade, mas é.

O que nos bloqueia é óbvio. Sistêmico: instituições decadentes, desemprego em alta, custos crescentes de educação e obsolescência tecnológica. Individual: muito baixo, muito velho, muito assustado, muito pobre, muito estressado, sem acesso, sem apoio, sem confiança. Como somos hábeis em catalogar aquilo que nos impede!

Todo obstáculo é único para cada um de nós. Mas as respostas que provoca são as mesmas: medo. Frustração. Confusão. Desamparo. Depressão. Raiva.

Você sabe o que quer fazer, mas parece que algum inimigo invisível o detém, imobilizando seus movimentos. Você tenta chegar a algum lugar, mas algo invariavelmente bloqueia o seu caminho, acompanhando e impedindo cada passo que você dá. Você tem liberdade suficiente para sentir que pode se mover; apenas o suficiente para perceber que, quando não consegue prosseguir ou ganhar impulso, a culpa é sua.

Estamos insatisfeitos com nossos empregos, nossos relacionamentos, nosso lugar no mundo. Estamos tentando chegar a algum lugar, mas há algo no meio do caminho.

Portanto, nada fazemos.

Culpamos os nossos chefes, a economia, os políticos, os outros, nos vemos como fracassados ou consideramos nossos objetivos impossíveis. Quando, na verdade, apenas uma coisa está errada: nossa atitude e abordagem.

Existem inúmeras lições (e livros) sobre como alcançar o sucesso, mas ninguém nos ensina a como superar o fracasso, como encarar os obstáculos, como lidar e triunfar sobre eles, e por isso estamos presos. Pressionados por todos os lados, muitos de nós nos sentimos desorientados, reativos e divididos. Não temos ideia do que fazer.

Contudo, nem todos estão paralisados. Admirados, observamos algumas pessoas que parecem transformar esses mesmos obstáculos que nos impedem em trampolins para si próprias. Como fizeram isso? Qual é o segredo?

Ainda mais desconcertante: as gerações anteriores enfrentaram problemas piores, com menos redes de segurança

INTRODUÇÃO

e menos ferramentas. Souberam lidar com os mesmos obstáculos que enfrentamos atualmente, *mais* aqueles que se esforçaram em eliminar para facilitar a vida de seus filhos e de outras pessoas. E, no entanto... ainda estamos presos.

O que essas pessoas têm e que nos falta? O que estamos perdendo? É simples: um método e uma estrutura para compreender, avaliar e agir em relação aos obstáculos que a vida nos apresenta.

John D. Rockefeller tinha esse método e estrutura. Para ele, era uma questão de cabeça fria e autodisciplina. Demóstenes, o grande orador ateniense, também tinha. Para ele, tratava-se de um impulso implacável no sentido de se aperfeiçoar por meio da ação e da prática. Abraham Lincoln tinha. Para ele era uma questão de humildade, perseverança e compaixão.

Há outros nomes que você verá repetidamente neste livro: Ulysses S. Grant. Thomas Edison. Margaret Thatcher. Samuel Zemurray. Amelia Earhart. Erwin Rommel. Dwight D. Eisenhower. Richard Wright. Jack Johnson. Theodore Roosevelt. Steve Jobs. James Stockdale. Laura Ingalls Wilder. Barack Obama.

Alguns desses homens e mulheres enfrentaram horrores inimagináveis, desde impedimentos até doenças debilitantes, além de frustrações do dia a dia que não eram diferentes das nossas. Eles superaram as mesmas rivalidades, ventos políticos contrários, drama, resistência, conservadorismo, separações, tensões e calamidades econômicas. Ou piores.

Sujeitos a tais pressões, esses indivíduos se transformaram. E foram transformados de acordo com as linhas que Andy Grove, ex-CEO da Intel, citou ao descrever o que acontece com as empresas em tempos de crise: "Empresas ruins são destruídas pela crise. Boas empresas sobrevivem às crises. Grandes empresas se aprimoram com elas."

Assim como grandes empresas, grandes indivíduos encontram uma maneira de transformar fraqueza em força. É uma façanha incrível e até comovente. Eles pegam aquilo que os impedia — e que pode estar prendendo você neste exato momento — e o usam para seguir em frente.

Acontece que isso é algo que todos os grandes homens e mulheres da história têm em comum. Como o oxigênio para o fogo, os obstáculos se tornam o combustível para o incêndio de sua ambição. Nada pode contê-los. Eles eram (e continuam sendo) impossíveis de desencorajar ou deter. Cada impedimento serviu apenas para fazer com que o inferno dentro deles queimasse com mais ferocidade.

Essas pessoas viraram seus obstáculos de cabeça para baixo. Elas viveram as palavras de Marco Aurélio e seguiram um grupo que Cícero chamou de os únicos "verdadeiros filósofos" — os antigos estoicos —, mesmo que nunca os tivessem lido.* Eles tinham a capacidade de ver os obstáculos tal como eram, engenhosidade para enfrentá-los, e vontade de perseverar em um mundo frequentemente além de sua compreensão e controle.

Convenhamos. Geralmente, não nos vemos em situações terríveis às quais precisamos simplesmente sobreviver. Em vez dis-

---

* Creio que o estoicismo é uma filosofia profundamente fascinante e criticamente importante. Mas também sei que você vive no mundo real e não tem tempo para uma aula de história. O que você quer são estratégias reais para ajudá-lo com os seus problemas, de modo que é isso que este livro será. Se quiser alguns recursos adicionais e recomendações de leitura sobre estoicismo, eu as forneço na lista de leitura no final deste livro.

so, enfrentamos alguns pequenos contratempos ou ficamos presos a algumas condições desfavoráveis. Ou tentamos fazer algo realmente difícil e nos vemos em desvantagem, sobrecarregados ou sem ideias. Bem, a mesma lógica se aplica. Vire o jogo. Encontre algum benefício. Use isso como combustível.

É simples. Simples, mas, obviamente, não é fácil.

Este não é um livro de otimismo efusivo e nebuloso. Este não é um livro que o aconselhará a ignorar tudo quando as coisas estiverem uma merda ou oferecer a outra face quando você estiver completamente ferrado. Aqui você não encontrará ditados populares ou belos provérbios, embora totalmente ineficazes.

Este também não é um estudo acadêmico ou a história do estoicismo. Há muitos textos sobre estoicismo por aí, muitos deles escritos por alguns dos maiores e mais sábios pensadores que já passaram por este mundo. Não há necessidade de reescrever o que eles escreveram — leia os originais. Nenhum escrito filosófico é tão acessível. Parece que foram escritos no ano passado, não no milênio passado.

Mas fiz o melhor que pude para coletar, entender e agora publicar as suas lições e truques. A filosofia antiga nunca se importou muito com autoria ou originalidade — todos os autores fizeram o melhor que puderam para traduzir e explicar a sabedoria dos grandes, tal como esta lhes foi transmitida por meio de livros, diários, canções, poemas e histórias. Tudo isso, refinado no cadinho da experiência humana ao longo de milhares de anos.

Este livro compartilhará com você essa sabedoria coletiva para ajudá-lo a cumprir o objetivo muito específico e cada vez mais urgente que todos compartilhamos: superar obstáculos. Obstáculos mentais. Obstáculos físicos. Obstáculos emocionais. Obstáculos percebidos.

Nós os enfrentamos todos os dias e nossa sociedade está coletivamente paralisada por isso. Se este livro o ajudar a enfrentar e a superar tais obstáculos, já será o suficiente. Mas meu objetivo é mais elevado. Pretendo mostrar como transformar todo obstáculo em uma *vantagem*.

Portanto, este será um livro de profundo pragmatismo e de histórias reais que ilustram as artes da persistência implacável e da engenhosidade infatigável. Ensinará a como se desprender, se libertar e viver melhor. Como transformar as muitas situações negativas que encontramos em nossa vida em algo positivo — ou, ao menos, extrair delas o benefício possível. Roubar a sorte do azar.

Não se trata apenas de: *Como posso pensar* que isso não é tão ruim? Na verdade, trata-se de como se esforçar para ver que isso deve ser bom — uma oportunidade de ganhar um novo ponto de apoio, seguir em frente ou ir em uma direção melhor. Não "ser positivo", mas aprender a ser incessantemente criativo e oportunista.

Nada de: *Isso não é tão ruim.*

E sim: *Eu posso transformar isso em uma coisa boa.*

Porque pode ser feito. Isso foi feito e *está* sendo feito. Todos os dias. Esse é o poder que liberaremos neste livro.

OS OBSTÁCULOS À NOSSA FRENTE

Há uma antiga história zen sobre um rei cujo povo se tornou fraco e exigente. Insatisfeito com isso, decidiu dar uma lição aos súditos. Seu plano era simples: ele colocaria uma pedra no meio da estrada principal, bloqueando completamente a entrada

INTRODUÇÃO

da cidade. Então, o rei se esconderia ali perto para observar as reações.

Como reagiriam? Eles se uniriam para remover a pedra? Ou desanimariam, desistiriam e voltariam para casa?

Cada vez mais decepcionado, o rei observou súdito após súdito chegar até aquele obstáculo e se afastar. Ou, na melhor das hipóteses, tentar sem muita convicção antes de desistir. Muitos reclamaram abertamente ou amaldiçoaram o rei ou o destino, ou lamentaram o inconveniente, mas nenhum deles conseguiu fazer nada a respeito.

Muitos dias depois, surgiu um camponês solitário a caminho da cidade. Ele não recuou. Em vez disso, esforçou-se, tentando tirar a pedra do caminho. Então, uma ideia lhe ocorreu: ele foi até uma floresta ali perto para encontrar algo que pudesse usar como alavanca. Finalmente, voltou com um grande tronco que usou para remover a pedra do meio da estrada.

Embaixo do rochedo havia uma bolsa repleta de moedas de ouro e um bilhete do rei, onde se lia:

O obstáculo no caminho passa a ser o caminho. Nunca se esqueça: dentro de cada obstáculo há uma oportunidade para melhorar a sua condição.

O que o impede?

O físico? Altura. Corrida. Distância. Deficiência. Dinheiro.

O mental? Medo. Incerteza. Inexperiência. Preconceito.

Talvez as pessoas não levem você a sério. Ou você pense que está muito velho. Talvez não tenha apoio ou recursos suficientes. Talvez leis ou regulamentos restrinjam as suas opções.

Talvez sejam as suas obrigações. Ou os falsos objetivos e dúvidas a respeito de si mesmo.

O que quer que seja, aí está você. Aqui estamos todos nós.

E...

Esses são obstáculos. Entendo. Ninguém está negando isso.

Mas faça uma lista daqueles que vieram antes de você. Atletas muito baixos. Pilotos cuja visão não era boa o suficiente. Sonhadores à frente de seu tempo. Membros desta ou daquela etnia. Desistentes e disléxicos. Bastardos, imigrantes, novos-ricos, paladinos, crentes e sonhadores. Ou aqueles que vieram do nada ou de algo pior, de lugares onde a sua própria existência era ameaçada diariamente. O que aconteceu com eles?

Bem, muitos desistiram. Mas alguns não. Eles entenderam "duas vezes melhor" como um desafio. Eles praticaram com maior afinco. Procuraram atalhos e pontos fracos. Viram aliados nos rostos de estranhos. Foram maltratados. *Tudo* era um obstáculo que precisaram superar.

E então?

Dentro desses obstáculos havia uma oportunidade. Eles a agarraram. Fizeram algo especial por causa disso. É possível aprender com eles.

Conseguir um emprego, lutar contra a discriminação, ficar sem dinheiro, estar em um relacionamento ruim, brigar com algum adversário agressivo, lidar com um funcionário ou aluno com quem simplesmente não conseguimos nos relacionar, ou passar por um bloqueio criativo podem ser obstáculos problemáticos, mas, apesar das dificuldades, precisamos saber que existe um caminho. Quando encontramos adversidades, podemos aproveitá-las com base no exemplo dessas pessoas.

INTRODUÇÃO

Todas as grandes vitórias, sejam na política, nos negócios, na arte ou na sedução, envolveram a resolução de problemas incômodos com um potente coquetel de criatividade, foco e ousadia. Quando você tem uma meta, os obstáculos estão, na verdade, ensinando-o a como chegar aonde deseja — estão abrindo um caminho. "O que dói", escreveu Benjamin Franklin, "ensina".

Hoje, a maioria de nossos obstáculos são internos, não externos. Desde a Segunda Guerra Mundial, vivemos um dos tempos mais prósperos da História. Há menos exércitos a enfrentar, menos doenças fatais e muito mais redes de segurança. Mas, ainda assim, o mundo quase nunca faz exatamente aquilo que queremos.

Em vez de inimigos, temos tensão interna. Temos frustração profissional. Temos expectativas não atendidas. Aprendemos a ficar desamparados. E ainda sentimos as mesmas emoções avassaladoras que os humanos sempre sentiram: tristeza, dor, perda.

Muitos de nossos problemas vêm de termos coisas demais: rápida obsolescência tecnológica, *junk food*, tradições que nos dizem como devemos viver a nossa vida. Nos tornamos fracos, mimados e com medo de conflitos. Tempos fáceis são grandes enfraquecedores.

A abundância pode ser o seu próprio obstáculo, como muitas pessoas podem atestar.

Mais do que nunca, nossa geração precisa de uma abordagem para superar obstáculos e prosperar em meio ao caos, que a ajude a virar os problemas de cabeça para baixo, usando-os como telas para pintar obras-primas. Essa abordagem flexível é adequada tanto para um empresário quanto para um artista, um conquistador ou um treinador, seja você um escritor esforçado, um sábio ou um pai atarefado.

O CAMINHO ATRAVÉS DELES

Julgamento criterioso, agora, neste exato momento.
Ação altruísta, agora, neste exato momento.
Aceitação voluntária — agora, neste exato momento — de todos os eventos externos.
Isso é tudo o que você precisa.

— MARCO AURÉLIO

Superar obstáculos é uma disciplina com três etapas cruciais.

Começa com a maneira como encaramos os nossos problemas específicos, nossa atitude ou abordagem; depois, a energia e a criatividade com que ativamente os analisamos e os transformamos em oportunidades; finalmente, o cultivo e a manutenção de uma vontade interior que nos permita lidar com derrotas e dificuldades.

São três disciplinas interdependentes, interconectadas e fluidamente contingentes: *Percepção, Ação* e *Vontade*.

É um processo simples (mas, novamente, nunca é fácil).

Rastrearemos o uso desse processo por seus praticantes ao longo da história, dos negócios e da literatura. À medida que olharmos para exemplos específicos de cada etapa sob todos os ângulos, aprenderemos a assimilar essa atitude e capturar sua engenhosidade — e, ao fazê-lo, descobriremos como criar novas passagens onde quer que uma porta seja fechada.

INTRODUÇÃO

A partir das histórias de quem praticou essa disciplina, aprenderemos a lidar com obstáculos comuns — mesmo que nossa vida pareça estagnada, o tipo de obstáculo que desestabilizou muitas pessoas ao longo dos tempos — e a aplicar a sua abordagem geral em nossa vida. Porque os obstáculos não são apenas esperados, mas também aceitos.

Aceitos?

Sim, porque, na verdade, esses obstáculos são oportunidades para nos testar, para termos experiências novas e, em última análise, para triunfarmos.

O obstáculo é o caminho.

PARTE I

PERCEPÇÃO

O QUE É PERCEPÇÃO? É como vemos e entendemos o que ocorre ao nosso redor — e o que decidimos que esses eventos significam. Nossas percepções podem ser uma fonte de força ou de grande fraqueza. Se formos emocionais, subjetivos e míopes, apenas aumentaremos os nossos problemas. Para evitar sermos oprimidos pelo mundo à nossa volta, devemos, assim como faziam os antigos, aprender a limitar as nossas paixões e seu poder sobre a nossa vida. É preciso habilidade e disciplina para afastar as percepções ruins, discernir os sinais confiáveis dos enganosos, filtrar o preconceito, a expectativa e o medo. Mas vale a pena, pois o que resta é a *verdade*. Enquanto os outros estiverem animados ou com medo, permaneceremos calmos e imperturbáveis. Veremos as situações de maneira simples e direta, como realmente são — nem boas nem más. Essa será uma vantagem incrível na luta contra os obstáculos.

A DISCIPLINA DA PERCEPÇÃO

Antes de se tornar empresário do ramo petroleiro, John D. Rockefeller era contador e aspirante a investidor — um modesto financista em Cleveland, Ohio. Filho de um criminoso alcoólatra que abandonou a família, o jovem Rockefeller conseguiu o seu primeiro emprego em 1855, aos 16 anos de idade (um dia que ele celebrou como "Dia do Trabalho" pelo resto da vida). Recebia apenas 50 centavos por dia, mas tudo parecia bem.

Então o pânico o atingiu. Especificamente, o Pânico de 1857, uma enorme crise financeira nacional que se originou em Ohio e atingiu Cleveland de maneira particularmente intensa. Como os negócios faliram e o preço dos grãos despencou em todo o país, a expansão para o oeste rapidamente estancou. O resultado foi uma depressão paralisante que durou vários anos.

Rockefeller poderia ter ficado com medo. Ali estava a maior depressão de mercado da história e aquilo o atingiu no momento em que estava pegando o jeito da coisa. Ele poderia ter desistido e fugido, como fizera o seu pai. Ele poderia ter abandonado as finanças em troca de uma carreira diferente, menos arriscada. Contudo, mesmo na juventude, Rockefeller tinha sangue-frio, mantinha uma frieza imperturbável mesmo sob pressão. Ele era capaz de manter a cabeça fria enquanto perdia todo o seu dinheiro. Melhor ainda: ele manteve a cabeça fria enquanto todos os outros esquentavam a deles.

E, assim, em vez de lamentar aquela turbulência econômica, Rockefeller observou ansiosamente os acontecimentos importantes. Quase perversamente, escolheu ver tudo como uma oportunidade de aprender, um batismo no mercado. Ele economizou o seu dinheiro e observou o que os outros faziam de errado. Viu as fraquezas da economia que muitos achavam naturais e como isso os deixava despreparados para choques ou mudanças.

Ele internalizou uma lição importante que ficaria consigo para sempre: o mercado era inerentemente imprevisível e muitas vezes vicioso — apenas uma mente racional e disciplinada poderia esperar lucrar com aquilo. A especulação levava ao desastre, percebeu, e ele precisava ignorar a "multidão enlouquecida" e suas inclinações.

Rockefeller imediatamente pôs tais percepções em prática. Aos 25 anos, um grupo de investidores ofereceu deixar 500 mil dólares sob a sua responsabilidade caso ele encontrasse os poços de petróleo certos para aplicar aquele dinheiro. Grato pela oportunidade, Rockefeller começou a visitar os campos de petróleo das redondezas. Poucos dias depois, chocou os seus patrocinadores ao retornar a Cleveland de mãos vazias, sem ter gastado ou investido nem 1 dólar sequer do fundo. A oportunidade não parecia certa para ele no momento, não importando quão animado estivesse o restante do mercado. Então, devolveu o dinheiro aos investidores e se afastou daquela perfuração.

Foi essa intensa autodisciplina que permitiu a Rockefeller tirar vantagem de obstáculo após obstáculo em sua vida, durante a Guerra Civil e as crises de 1873, 1907 e 1929. Como declarou certa vez, ele tendia a ver oportunidade em cada desastre. A isso poderíamos acrescentar: ele tinha força para resistir à tentação ou ao entusiasmo, por mais sedutores que fossem, em qualquer situação.

Vinte anos após a primeira crise, Rockefeller controlaria sozinho 90% do mercado de petróleo. Seus gananciosos concorrentes haviam fracassado. Seus colegas nervosos venderam as suas ações e abandonaram o negócio. Os céticos medrosos perderam.

Pelo resto da vida, quanto maior o caos, mais calmo Rockefeller ficava, principalmente quando as pessoas ao seu redor estavam em pânico ou enlouquecidas pela ganância. Ele faria grande parte de sua fortuna durante essas flutuações de mercado porque era capaz de ver o que os outros não viam. Essa percepção vive atualmente no famoso dito de Warren Buffett: "Tenha medo quando os outros forem gananciosos e seja ganancioso quando os outros estiverem com medo." Rockefeller, assim como todos os grandes investidores, podia resistir ao impulso em favor do frio e rígido bom senso.

Admirado com o império de Rockefeller, um crítico descreveu o truste da Standard Oil como uma "criatura mítica multiforme" capaz de se metamorfosear a cada tentativa dos concorrentes ou do governo para desmantelá-lo. Isso foi dito como uma crítica, mas, na verdade, era uma característica da personalidade de Rockefeller: resiliente, adaptável, calmo, brilhante. Ele não se abalava — nem por uma crise econômica, nem por uma miragem cintilante de falsas oportunidades, nem por inimigos agressivos e intimidadores, nem mesmo por promotores federais (para quem ele era uma testemunha notoriamente difícil de interrogar, nunca mordendo as iscas que lhe eram lançadas, nunca se colocando em uma posição defensiva ou perdendo a paciência).

Ele nasceu assim? Não. Esse foi um comportamento aprendido. E Rockefeller aprendeu essa lição de disciplina em algum lugar. Tudo começou naquela crise de 1857 que ele chamou de "uma escola de adversidade e estresse".

"Ah, quão abençoados são os jovens que precisam lutar por um alicerce e um começo de vida", disse ele certa vez. "Jamais deixarei de ser grato pelos três anos e meio de aprendizado e pelas dificuldades que tive de superar ao longo do caminho."

É claro que muitas pessoas passaram pelo mesmo que Rockefeller — todos frequentaram a mesma escola de tempos difíceis. Mas poucos reagiram como ele. Poucos treinaram para ver a oportunidade dentro daquele obstáculo e não perceberam que aquilo que se abateu sobre eles não era um infortúnio insuperável, mas um presente educativo: uma chance de *aprender* em um raro momento da história econômica.

Você encontrará obstáculos na vida — justos e injustos. E descobrirá, repetidamente, que o mais importante não são esses obstáculos, mas a maneira como os vemos, como reagimos a eles, e se mantemos ou não a nossa compostura. Você aprenderá que essa reação determinará quão bem-sucedidos seremos em superá-los — ou possivelmente prosperar por causa deles.

Onde uma pessoa vê uma crise, outra pode ver uma oportunidade. Onde um está cego pelo sucesso, outro vê a realidade com objetividade implacável. Onde um perde o controle das emoções, outro pode permanecer calmo. Desespero, aflição, medo, impotência — essas reações são funções de nossas percepções. Você deve se dar conta de que nada nos *faz* sentir assim; nós *escolhemos* ceder a tais sentimentos. Ou, assim como Rockefeller, optamos por *não* ceder.

E é precisamente nessa divergência — entre como Rockefeller percebia o seu ambiente e como o restante do mundo normalmente o via — que surgiu o seu sucesso quase incompreensível. Sua cautelosa autoconfiança era uma forma incrível de poder. Perceber aquilo que os outros viam de forma negativa como algo a ser abordado de modo racional, claro e, mais importante, como uma oportunidade — não como algo a se temer ou lamentar.

Rockefeller é mais do que apenas uma analogia.

Vivemos em nossa própria Era de Ouro. Em menos de uma década, experimentamos duas grandes bolhas econômicas, indústrias inteiras desmoronaram, vidas foram interrompidas. Abundam as aparentes injustiças. Crises financeiras, agitação civil, adversidade. As pessoas estão com medo e desanimadas, com raiva e irritadas, e se reúnem no Parque Zuccotti ou em comunidades on-line. É o que deveriam fazer, certo?

Não necessariamente.

As aparências externas enganam. O que está dentro delas, abaixo delas, é o que realmente importa.

Podemos aprender a perceber as situações de maneira diferente, a ver além das ilusões nas quais os outros acreditam ou temem. Podemos parar de ver os "problemas" à nossa frente como problemas. Podemos aprender a nos concentrar no que os fatos realmente são

Muitas vezes reagimos emocionalmente, ficamos desanimados e perdemos a perspectiva. Tudo isso transforma coisas ruins em coisas muito ruins. Percepções inúteis podem invadir a nossa mente — aquele lugar sagrado de razão, ação e vontade — e confundir a nossa bússola.

Nosso cérebro evoluiu para um ambiente muito diferente daquele que habitamos hoje em dia. Como resultado, carregamos todo tipo de bagagem biológica. Os humanos ainda estão preparados para detectar ameaças e perigos que não existem mais — pense no calafrio que você sente quando está estressado por causa de dinheiro ou na reação de lutar ou fugir que ocorre quando seu chefe grita com você. Na verdade, nossa segurança não está em risco nessas situações — há pouca probabilidade de virmos a morrer de fome ou de um momento violento ser deflagrado —, embora às vezes pareça que sim.

Nós temos a opção de escolher como responder a essa situação (ou a qualquer situação). Podemos ser guiados cegamente por esses sentimentos primitivos ou podemos entendê-los e aprender a filtrá-los. A disciplina da percepção permite que você veja claramente a vantagem e o curso de ação adequado a cada situação — sem o incômodo do pânico ou do medo.

Rockefeller entendeu isso claramente e se libertou dos grilhões das percepções ruins e destrutivas. Ele aprimorou a capacidade de controlar, canalizar e compreender esses sinais. Era como um superpoder: já que a maioria das pessoas não consegue acessar essa parte de si mesma, elas se tornam escravas de impulsos e instintos que nunca questionaram.

Podemos ver o desastre de forma racional. Ou melhor, como Rockefeller, podemos ver *oportunidades* em cada desastre e transformar situações negativas em uma educação, um conjunto de habilidades ou em uma fortuna. Visto de maneira adequada, tudo o que acontece — seja um colapso econômico ou uma tragédia pessoal — é uma chance de seguir em frente. Mesmo que seja em um rumo que não prevíamos.

Devemos ter em mente alguns objetivos ao nos depararmos com um obstáculo aparentemente intransponível. Devemos tentar:

- Ser objetivos.
- Controlar as nossas emoções e manter o equilíbrio.
- Escolher ver o que há de bom em uma situação.
- Acalmar os nossos nervos.
- Ignorar o que perturba ou limita os outros.
- Pôr as coisas em perspectiva.
- Voltar ao momento presente.
- Focar o que pode ser controlado.

É assim que você vê a oportunidade dentro do obstáculo. Isso não acontece por conta própria. É um processo — que resulta da autodisciplina e da lógica.

E essa lógica está à sua disposição. Você só precisa implementá-la.

RECONHEÇA O SEU PODER

Escolha não ser prejudicado — e você não se sentirá prejudicado. Não se sinta prejudicado — e você não o será.

— MARCO AURÉLIO

Em meados da década de 1960, no auge de sua carreira no boxe, Rubin "Hurricane" Carter, um dos principais candidatos ao título do peso médio, foi injustamente acusado de um crime horrível que não cometeu: um triplo homicídio. Ele enfrentou um julgamento, seguido de um veredicto tendencioso e falso: três sentenças de prisão perpétua.

Foi uma queda vertiginosa das alturas do sucesso e da fama. Carter se apresentou à prisão em um terno caro feito sob medida, usando um anel de diamante de 5 mil dólares e um relógio de ouro. Então, enquanto esperava na fila para integrar a população carcerária geral, ele pediu para falar com um responsável.

Olhando o diretor nos olhos, Carter o informou, e aos guardas, que ele não desistiria da única coisa que controlava: a si mesmo. Nessa notável declaração, ele disse, com todas as letras: "Eu sei que vocês não tiveram nada a ver com a injustiça que me trouxe até esta prisão, de modo que estou disposto a permanecer aqui até sair. Mas não vou, em hipótese alguma, ser tratado como um prisioneiro — porque não sou e nunca serei *impotente*."

Em vez de desmoronar — como muitos teriam feito em uma situação tão desoladora — Carter se recusou a renunciar a liberdades que eram naturalmente suas: sua atitude, suas crenças, suas escolhas. Quer eles o jogassem na prisão ou em uma solitária por semanas a fio, Carter sustentava que ainda tinha escolhas, escolhas que não podiam ser tiradas dele, mesmo que a sua liberdade física lhe tivesse sido privada.

Ele ficou furioso com o que aconteceu? É claro que sim. Mas entendendo que a raiva não era construtiva, Carter não se permitiu senti-la. Recusou-se a desmoronar, rastejar ou se desesperar. Ele não usaria uniforme, não comeria a comida da prisão, não aceitaria visitas, não compareceria a audiências de liberdade condicional nem trabalharia na cantina para reduzir a sua sentença. E ele não seria tocado. Ninguém encostaria a mão nele, a menos que quisesse uma briga.

Tudo isso tinha um propósito: cada segundo de sua energia seria dedicado ao seu processo judicial. Cada minuto de vigília seria gasto na leitura de livros de direito, filosofia, história. Eles não arruinaram a sua vida — apenas o colocaram em algum lugar no qual ele não merecia estar e onde ele não tinha a intenção de ficar. Ali ele aprenderia, leria e aproveitaria ao máximo o tempo que tinha em mãos. Ele sairia da prisão não apenas como um homem livre e inocente, mas também como um homem melhor, aprimorado.

Demorou dezenove anos e dois julgamentos para reverter essa sentença, mas, quando Carter saiu da prisão, simplesmente retomou a sua vida. Nenhuma ação civil por perdas e danos, Carter nem mesmo exigiu desculpas do tribunal. Porque, para ele, isso significaria que haviam lhe tirado algo que lhe pertencia. Essa nunca fora a sua opinião, mesmo nas escuras profundezas da solitária. Ele fizera a sua escolha: isso não pode me prejudicar — posso não querer que isso tenha ocorrido, mas sou eu quem decide como isso me afetará. *Ninguém mais tem esse direito.*

Somos nós que decidimos o que faremos de cada situação. Somos nós que decidimos se vamos ceder ou resistir. Somos nós que decidimos se concordaremos ou não. Ninguém pode nos forçar a desistir ou a acreditar em algo que não seja verdadeiro (por exemplo, que uma situação é absolutamente desesperadora ou impossível de ser melhorada). Temos total controle sobre as nossas percepções.

Podem nos jogar na prisão, rotular-nos, privar-nos de nossos bens, mas nunca controlarão os nossos pensamentos, as nossas crenças, as nossas *reações*.

O que significa que nunca seremos completamente impotentes.

Mesmo na prisão, privados de quase tudo, algumas liberdades permanecem. Sua mente continua sendo sua (se tiver sorte, você terá livros) e você tem tempo — muito tempo. Carter não tinha muito poder, mas entendeu que isso não era a mesma coisa que ser *impotente*. Muitas grandes figuras, de Nelson Mandela a Malcolm X, compreenderam essa distinção fundamental. Foi assim que transformaram a cadeia em um lugar para aprender sobre si mesmos e ajudar outras pessoas.

Se uma sentença de prisão injusta pode não apenas ser revertida como também se revelar benéfica e transformadora, então, para nossos propósitos, nada do que vivenciarmos será desprovido de um benefício potencial. Na verdade, se tivermos plena consciência de quem somos, podemos recuar e nos lembrar que as situações, por si sós, não são boas ou más. Isso é algo — um julgamento — que nós, como seres humanos, lhe atribuímos com nossas percepções.

Para uma pessoa, uma situação pode ser negativa. Para outra, essa mesma situação pode ser positiva.

Como disse Shakespeare: "Nada é bom ou mau, é o pensamento que faz as coisas assim."

Laura Ingalls Wilder, autora da clássica série *Little House*, viveu essa ideia, enfrentando alguns dos ambientes mais difíceis e hostis do planeta: terreno difícil e improdutivo, território indígena, pradarias do Kansas e as úmidas florestas da Flórida. Sem medo, sem cansaço — porque ela via tudo aquilo como uma aventura. Em toda parte, havia uma oportunidade de fazer algo novo, de perseverar com alegre espírito pioneiro qualquer que fosse o destino que se abatesse sobre ela ou sobre o marido.

Isso não quer dizer que ela via o mundo com óculos cor-de-rosa. Em vez disso, simplesmente escolheu ver cada situação pelo que era — acompanhada de trabalho árduo e um pouco de otimismo. Outros fazem a escolha oposta. Quanto a nós, enfrentamos desafios que estão longe de ser tão intimidadores, e, então, prontamente decidimos que estamos ferrados.

É assim que os obstáculos se tornam obstáculos.

Em outras palavras, por meio de nossa percepção dos eventos, somos cúmplices na criação — bem como na destruição — de cada um dos obstáculos.

Não há bem ou mal sem nós, apenas percepção. Há o evento em si e a história que contamos a nós mesmos sobre o que esse evento significa.

Esse é um pensamento que muda tudo, não é mesmo?

Um funcionário da sua empresa comete um erro que custa caro a você. Pode ser exatamente aquele erro que você dedicou tanto tempo e esforço tentando evitar. *Ou*, com uma mudança na percepção, pode ser exatamente aquilo que você estava procurando: a oportunidade de romper defesas e ensinar uma lição que só pode ser aprendida com a experiência. Um *erro* se transforma em *treinamento*.

Mais uma vez, o evento é o mesmo: alguém errou. Mas a avaliação e o resultado são diferentes. Com uma abordagem você tira proveito; com a outra, você sucumbe à raiva ou ao medo.

Só porque sua mente lhe diz que algo é terrível, ruim, não planejado ou negativo, não significa que você deva concordar. Só porque outras pessoas dizem que algo é irremediável, loucura ou está destruído, não quer dizer que isso seja verdade. Somos nós que decidimos qual história contaremos para nós mesmos. Ou se vamos contar alguma história.

Bem-vindo ao poder da percepção. Aplicável em toda e qualquer situação e impossível de impedir. Ele pode ser apenas *renunciado*.

E essa decisão é sua.

ACALME OS SEUS NERVOS

> O que esse homem precisa não é de coragem, mas de controle emocional, de cabeça fria. Isso ele só pode conseguir com a prática.
>
> — THEODORE ROOSEVELT

Certa vez, Ulysses S. Grant compareceu a uma sessão de fotos com o famoso fotógrafo da Guerra Civil, Mathew Brady. O estúdio estava muito escuro, de modo que Brady pediu que um assistente subisse no telhado para abrir uma claraboia. O assistente escorregou e quebrou a vidraça. Assustados, os espectadores assistiram enquanto cacos de vidro de cinco centímetros de comprimento despencavam do teto como adagas, caindo ao redor de Grant — cada um deles suficientemente letal.

Quando os últimos cacos caíram, Brady olhou e viu que Grant não se movera. E estava ileso. Grant olhou para o buraco na claraboia, então se voltou novamente para a câmera como se nada tivesse acontecido.

Durante a Campanha Overland, Grant estava examinando a área com um binóculo quando um projétil inimigo explodiu, matando o cavalo que estava imediatamente ao seu lado. Os olhos de Grant permaneceram fixos na frente de batalha, sem nunca se afastar do binóculo. Há outra história sobre Grant no City Point, o quartel-general da União, perto de Richmond. As tropas estavam descarregando um barco a vapor que, subitamente, explodiu. Todos se jogaram no chão, exceto Grant, que foi visto correndo *em direção* ao local da explosão enquanto choviam destroços, projéteis e até mesmo cadáveres.

Este é um homem que sabia como se acalmar. Um homem que tinha um trabalho a fazer e que suportaria qualquer adversidade para conseguir fazê-lo. Isso é controle.

Contudo, de volta à nossa vida...

Estamos uma pilha de nervos.

Concorrentes cercam o nosso negócio. Surgem problemas inesperados. Nosso melhor funcionário se demite de repente. O sistema do computador não consegue lidar com as tarefas que estamos lhe impondo. Estamos fora de nossa zona de conforto. O chefe está nos obrigando a fazer todo o trabalho. Tudo está desabando ao nosso redor, justo quando sentimos que não aguentamos mais.

Nós enfrentamos a situação? A ignoramos? Piscamos uma ou duas vezes e redobramos a nossa concentração? Ou ficamos abalados? Tentamos curar esses sentimentos "ruins"?

E essas são apenas as coisas que acontecem acidentalmente. Não se esqueça: lá fora sempre há pessoas que tentarão atingi-lo. Intimidá-lo. Abalá-lo. Pressioná-lo para que você tome uma decisão antes de ter pensado em todas as hipóteses. Querem que você pense e aja de acordo com os termos deles, não com os seus.

Mas a questão é: você deixará que façam isso?

Quando temos grandes ambições, a pressão e o estresse são inevitáveis. Acontecerão coisas que nos pegarão desprevenidos, que nos ameaçarão ou nos assustarão. As surpresas (principalmente as desagradáveis) são quase certas. O risco de ser esmagado está sempre presente.

Nessas situações, o talento não é a característica mais desejada. Mas a calma e o equilíbrio, sim, porque esses dois atributos precedem a oportunidade de desenvolver qualquer outra habilidade. Falando certa vez sobre o segredo do grande sucesso militar do primeiro duque de Marlborough, Voltaire mencionou aquela "coragem tranquila em meio ao tumulto e a serenidade da alma no perigo, que os ingleses chamam de cabeça fria".

Independentemente de quão real seja o perigo que estamos correndo, o estresse nos coloca sob o potencial capricho de nossa reação mais básica e instintiva: o medo.

Nem por um segundo pense que calma, compostura e serenidade são atributos delicados de algum aristocrata. Em última análise, a calma é uma questão de desafio e controle.

Exemplo: *Eu me recuso a reconhecer isso. Eu não concordo com a intimidação. Eu resisto à tentação de considerar isso um fracasso.*

Mas a calma também é uma questão de aceitação: *Bem, acho que agora é por minha conta. Não posso me dar ao luxo de ficar abalado com isso ou ficar remoendo a angústia em minha mente. Tenho muito a fazer e muitas pessoas contam comigo.*

Desafio e aceitação caminham juntos no seguinte princípio: sempre há um contra-ataque, sempre há uma fuga ou uma saída, então não há razão para se preocupar. Ninguém disse que seria fácil e, é claro, as apostas são altas, mas o caminho está aí para quem estiver pronto para percorrê-lo.

É o que devemos fazer. E sabemos que será difícil, talvez até assustador.

Mas estamos prontos para isso. Somos pessoas sérias e controladas e não vamos nos apavorar.

Isso significa nos prepararmos para as realidades de nossa situação, acalmar os nossos nervos para que possamos oferecer o nosso melhor. Nos preparando. Nos livrando das situações e sentimentos ruins à medida que acontecem e seguindo em frente — olhando para a frente como se nada tivesse ocorrido.

Porque, como agora você percebe, é verdade. Se você mantiver a calma, então nada realmente "aconteceu" — nossa percepção se certificou de que aquilo não era importante.

CONTROLE AS SUAS EMOÇÕES

Quer ter um grande império? Governe a si mesmo.

— PUBLÍLIO SIRO

Quando os Estados Unidos iniciaram uma corrida para enviar os primeiros homens ao espaço, eles treinaram os astronautas em uma habilidade acima de tudo: a arte de *não* entrar em pânico.

Quando as pessoas entram em pânico, cometem erros. Anulam os sistemas. Desconsideram procedimentos, ignoram regras. Elas se desviam do plano, tornam-se indiferentes e deixam de pensar com clareza.

Elas se limitam a reagir — não àquilo que precisam reagir, mas aos hormônios de sobrevivência que estão correndo em suas veias.

Bem-vindo à fonte da maioria de nossos problemas aqui na Terra. Tudo é planejado em detalhes, então algo dá errado e a primeira coisa que fazemos é trocar o nosso plano por um bom e velho surto emocional. Alguns de nós quase anseiam por soar o alarme, porque é mais fácil do que lidar com o que está à nossa frente.

A 240 quilômetros acima da Terra, em uma espaçonave menor do que um fusca, isso seria a morte. O pânico é suicídio.

Portanto, o pânico deve ser suprimido com treinamento. O que não é fácil.

Antes do primeiro lançamento, a NASA recriou o dia fatídico para os astronautas repetidamente, passo a passo, centenas de vezes — desde o que comeriam no café da manhã até o trajeto em direção à plataforma. Lentamente, em uma série gradual de "exposições", os astronautas foram apresentados a cada imagem e som da experiência de seu lançamento. Eles repetiram essa rotina tantas vezes que aquilo se tornou tão natural e familiar quanto respirar. Eles treinaram cada passo, assimilando nada além do lançamento em si, certificando-se de resolver todas as variáveis e eliminar todas as incertezas.

A incerteza e o medo são afastados pela autoridade. O treinamento é a autoridade. É uma válvula de escape. Com exposição suficiente, você pode eliminar aqueles medos perfeitamente comuns, até mesmo inatos, que são gerados sobretudo pela falta de familiaridade. Felizmente, consertar a falta de familiaridade é simples (repito, não é fácil), o que torna possível aumentar a nossa tolerância ao estresse e à incerteza.

John Glenn, o primeiro astronauta norte-americano a orbitar a Terra, passou quase um dia no espaço ainda mantendo a sua frequência cardíaca abaixo de cem batimentos por minuto. Esse é um homem que não apenas estava no controle da espaçonave como também tinha o controle de suas emoções. Um homem que cultivou adequadamente aquilo que mais tarde Tom Wolfe chamaria de "the right stuff" ("a coisa certa").

Mas você... acha que seu coração vai explodir ao confrontar um cliente ou um estranho na rua; ou sente um buraco no estômago ao ser convocado para falar para uma multidão.

É hora de perceber que isso é um luxo, uma indulgência do nosso eu inferior. No espaço, a diferença entre a vida e a morte depende do controle emocional.

Apertar o botão errado, ler os painéis de instrumentos incorretamente, iniciar uma sequência muito cedo — nada disso poderia ser tolerado em uma missão Apollo bem-sucedida: as consequências seriam muito graves.

Portanto, a questão para os astronautas não era: quão habilidoso você é como piloto? Na verdade, era: você consegue manter o equilíbrio? Você pode lutar contra a vontade de entrar em pânico e, em vez disso, focar apenas o que pode mudar? Na tarefa que está em suas mãos?

A vida não é diferente disso. Os obstáculos nos emocionam, mas a única maneira de sobrevivermos ou superá-los é mantendo essas emoções sob controle — se pudermos nos manter firmes, não importando o que aconteça, não importando o quanto os eventos externos possam variar.

Os gregos tinham uma palavra para isso: *apatheia*.

É o tipo de calma constante, equanimidade que vem com a ausência de emoções irracionais ou extremas. Não é a perda total do sentimento, apenas a perda do tipo prejudicial e inútil. Não deixar a negatividade entrar, não deixar essas emoções sequer começarem. Basta dizer: *Não, obrigado. Eu não posso entrar em pânico.*

Essa é a habilidade que deve ser cultivada — estar livre de transtornos e perturbações para que você possa concentrar a sua energia exclusivamente na solução de problemas em vez de reagir a eles.

O e-mail urgente do chefe. Um idiota em um bar. Uma ligação do banco: seu financiamento foi negado. Uma batida à porta: houve um acidente.

Como Gavin de Becker escreve em *Virtudes do medo*: "Quando você se preocupar, pergunte-se: 'O que estou preferindo não ver agora?' Quais informações importantes está perdendo porque preferiu a preocupação em vez da introspecção, do alerta ou da sabedoria?"

Outra maneira de colocar a questão: o fato de ficar perturbado lhe oferece mais opções?

Às vezes sim. Mas *neste* caso?

Não, *creio que não*.

Bem, então.

Se uma emoção não pode mudar a condição ou a situação com a qual você está lidando, provavelmente é uma emoção inútil. Ou, muito provavelmente, uma emoção destrutiva.

Mas é o que eu sinto.

Certo, ninguém falou em não sentir. Ninguém disse que você nunca pode chorar. Esqueça a "masculinidade". Se precisar de um momento, por favor, vá em frente. A verdadeira força está no controle ou, como disse Nassim Nicholas Taleb, na *domesticação* de nossas emoções, não em fingir que elas não existem.

Então vá em frente, sinta. Apenas não minta para si mesmo confundindo a emoção provocada por um problema com o modo como você lidará com ele. Porque são coisas tão diferentes quanto dormir e acordar.

Você sempre pode se lembrar: *Sou eu quem está no controle, não as minhas emoções. Eu vejo o que realmente está acontecendo aqui. Não ficarei exaltado ou aborrecido.*

Derrotamos as emoções com lógica, ou ao menos essa é a ideia. A lógica consiste em perguntas e afirmações. Tendo o suficiente de ambas, chegamos às causas raízes (que são sempre mais fáceis de lidar).

Perdemos dinheiro.

Mas as perdas não são uma parte muito comum dos negócios?

São.

Essas perdas são catastróficas?

Não necessariamente.

Portanto, não é algo totalmente inesperado, certo? Como pode ser tão ruim assim? Por que você está tão perturbado com algo que sabe que ocorre de vez em quando?
Bem... humm... eu...
E não apenas isso: você já lidou com situações piores do que essa. Não seria melhor você aplicar um pouco desse conhecimento em vez de ficar com raiva?
Tente ter essa conversa consigo mesmo e veja como essas emoções extremas se comportam. Elas não vão durar muito, acredite.
Afinal, você provavelmente não vai morrer de nada disso.
Pode ser útil repetir isso diversas vezes, sempre que sentir a ansiedade começando a despontar: *Não vou morrer disso. Não vou morrer disso. Não vou morrer disso.*
Ou tente a pergunta de Marco Aurélio:

O que aconteceu o impede de agir com justiça, generosidade, autocontrole, sanidade, prudência, honestidade, humildade, objetividade?

Não.
Então volte ao trabalho!
Inconscientemente, sempre devemos nos fazer a pergunta: *Preciso perder a cabeça por causa disso?*

E a resposta — assim como para astronautas, soldados, médicos e tantos outros profissionais — deve ser: *Não, porque treinei para enfrentar esta situação e posso me controlar.* Ou: *Não, porque caí em mim e fui capaz de perceber que isso não acrescenta nada de construtivo.*

PRATIQUE A OBJETIVIDADE

Não deixe a força de uma primeira impressão abalá-lo. Apenas diga: espere um instante; deixe-me ver quem você é e o que representa. Deixe-me colocá-lo à prova.

— EPICTETO

Na verdade, a frase "Isso aconteceu e é ruim" contém duas impressões. A primeira — "Isso aconteceu" — é objetiva. A segunda — "é ruim" — é subjetiva.

O espadachim samurai do século XVI Miyamoto Musashi venceu incontáveis lutas contra temíveis adversários, até mesmo contra mais de um adversário ao mesmo tempo, nas quais estava sem a sua espada. Em *O livro dos cinco anéis*, ele nota a diferença entre observar e perceber. O olho que percebe é fraco, escreveu; o olho que observa é forte.

Musashi entendeu que o olho observador vê simplesmente aquilo que está lá. O olho que percebe vê além do que aquilo que está lá.

O olho observador vê os eventos, livre de distrações, exageros e percepções errôneas. O olho que percebe vê "obstáculos intransponíveis" ou "grandes contratempos" ou mesmo apenas "problemas". Ele traz os seus próprios problemas para a luta. O primeiro é útil, o outro não.

Parafraseando Nietzsche, às vezes, ser superficial — avaliar a situação apenas à primeira vista — é a abordagem mais profunda.

Em nossa vida, quantos problemas parecem surgir do fato de atribuirmos julgamentos a eventos que não controlamos, como se houvesse um modo como essas situações *deveriam* ser? Com que frequência vemos o que pensamos existir ou deveria existir, em vez daquilo que realmente existe?

Depois de nos estabilizarmos e contermos as nossas emoções, podemos ver as coisas como realmente são. Podemos fazer isso usando o nosso olho observador.

As percepções são o problema. Elas nos dão uma "informação" da qual não precisamos, exatamente quando seria muito melhor nos concentrarmos naquilo que está imediatamente à nossa frente: o golpe de uma espada, uma negociação crucial, uma oportunidade, um insight ou qualquer outra coisa.

Nosso cérebro animalesco tenta comprimir o espaço entre a impressão e a percepção. Pense, perceba, aja — com milissegundos entre cada ação.

O cérebro de um cervo diz que ele deve correr porque está em perigo. Ele corre. Às vezes, direto para o meio do tráfego na estrada.

Podemos questionar esse impulso. Podemos discordar dele. Podemos desligar o interruptor, examinar a ameaça antes de agirmos.

Mas isso exige força. É um músculo que deve ser desenvolvido. E os músculos se desenvolvem por tensão: levantar e manter.

É por isso que Musashi e a maioria dos praticantes de artes marciais se concentram tanto no treinamento mental quanto no treinamento físico. Ambos são igualmente importantes — e requerem prática e exercícios igualmente vigorosos.

Nos escritos dos estoicos, vemos um exercício que pode muito bem ser descrito como Expressões Desdenhosas. Os estoicos usam o desprezo como uma ferramenta para desnudar as emoções e *"para despi-las da lenda que as reveste"*.

Sempre que seus alunos citavam algum grande pensador, Epicteto pedia que imaginassem aquela pessoa fazendo sexo. É engraçado, você deve tentar da próxima vez que alguém o intimidar ou deixá-lo inseguro. Veja essa pessoa em sua mente, grunhindo, gemendo e se mostrando inábil em sua intimidade — assim como o restante de nós.

Marco Aurélio tinha uma versão desse exercício na qual descrevia mercadorias caras ou glamorosas desprovidas de seus eufemismos: carne assada é animal morto e vinho *vintage* são uvas velhas fermentadas. O objetivo era ver esses produtos como realmente são, sem enfeite.

Podemos fazer isso com qualquer pessoa ou qualquer coisa que esteja no nosso caminho. Aquela promoção que significa tanto, o que é realmente? Coloquemos em seus devidos lugares os críticos e opositores que nos fazem sentir pequenos. É muito melhor ver as situações como realmente são, não como as criamos em nossa mente.

Objetividade significa remover o "você" — a parte subjetiva — da equação. Pense bem, o que acontece quando damos conselhos para os outros? Os problemas deles parecem claros para nós, as soluções óbvias. Quando ouvimos os problemas de outras pessoas não consideramos algo que está sempre presente quando lidamos com os nossos próprios obstáculos: a bagagem. Com as outras pessoas, podemos ser objetivos.

Consideramos a situação pelo seu valor nominal e imediatamente começamos a ajudar o amigo a resolvê-la. Egoísta e estupidamente, reservamos a piedade, o sentimento de perseguição e as reclamações para a nossa própria vida.

Pegue a sua situação e finja que não está acontecendo com você. Finja que não é importante, que não tem valor. Quão mais fácil seria descobrir o que fazer? Quão mais rápido e desapaixonadamente você poderia avaliar o cenário e suas opções? Poderia amortizar a situação, avaliá-la calmamente.

Pense em todas as maneiras como alguém poderia resolver um problema específico. Não, pense *de verdade*. Dê a si mesmo clareza, não simpatia — haverá muito tempo para isso mais tarde. É um exercício, o que significa que requer repetição. Quanto mais você praticá-lo, melhor se tornará. Quanto mais habilidoso se tornar em ver as coisas como são, mais a percepção funcionará a seu favor e não contra você.

ALTERE O SEU PONTO DE VISTA

O homem não existe por existir, ele sempre decide como será a sua existência, o que se tornará no momento seguinte. Da mesma forma, todo ser humano tem a liberdade de mudar a qualquer momento.

— VIKTOR FRANKL

Certa vez, quando o general ateniense Péricles comandava uma missão naval na Guerra do Peloponeso, o sol foi eclipsado e sua frota de 150 navios ficou imersa na escuridão.

Surpreendidos por aquele evento perturbador e inesperado, seus homens entraram em pânico. Ao contrário da tripulação, Péricles não se intimidou. Ele tirou a capa que estava vestindo, caminhou até o líder dos remadores e a enrolou ao redor do rosto do homem. Então, perguntou se ele estava com medo do que via.

Não, claro que não.

Então, por que temer quando a causa da escuridão é outra?, respondeu Péricles.

Os gregos eram espertos. Contudo, por trás dessa anedota em particular está a noção fundamental que envolve não apenas a filosofia estoica como também a psicologia cognitiva: *o ponto de vista é tudo.*

Ou seja, quando você consegue esmiuçar alguma coisa ou olhá-la de um novo ângulo, aquilo perde o poder sobre você.

O medo é debilitante, perturbador, cansativo e, muitas vezes, irracional. Péricles entendeu isso completamente e foi capaz de usar o poder do ponto de vista para derrotá-lo.

Os gregos compreenderam que muitas vezes escolhemos a explicação mais sinistra em vez da mais simples, para o nosso prejuízo. Perceberam que temos medo de obstáculos porque o nosso ponto de vista é equivocado — que uma simples mudança de perspectiva pode mudar totalmente a nossa reação. A tarefa, como Péricles demonstrou, não é ignorar o medo, mas explicá-lo. Quando o medo o atingir, identifique aquilo que você teme.

Lembre-se: somos nós que escolhemos como veremos as situações. Temos a capacidade de atribuir um ponto de vista a um acontecimento. Não podemos mudar os próprios obstáculos — essa parte da equação está definida —, mas o poder da perspectiva pode mudar a aparência desses obstáculos. A maneira como abordamos, visualizamos e contextualizamos um obstáculo, e o que dizemos a nós mesmos que aquilo significa, determina quão difícil e desafiador será superá-lo.

Cabe a você escolher se quer colocar o *eu* na frente de alguma sentença (*Eu* odeio falar em público. *Eu* estraguei tudo. *Eu* fui prejudicado), pois isso adiciona um elemento extra: *você* em relação àquele obstáculo, em vez de apenas o obstáculo em si. E, com o ponto de vista errado, somos consumidos e oprimidos por algo realmente muito pequeno. Então, por que nos sujeitarmos a isso?

O ponto de vista correto tem um jeito estranho de reduzir o tamanho dos obstáculos e das adversidades.

Contudo, por algum motivo, tendemos a olhar os fatos isoladamente. Nós nos culpamos por estourarmos um prazo ou por perdermos uma reunião. Individualmente, isso é uma merda — acabamos de perder 100% daquela oportunidade.

Contudo, como gosta de dizer o bilionário e empreendedor Richard Branson, o que estamos esquecendo nesse caso é que: "As oportunidades de negócios são como ônibus; sempre há outro vindo em seguida." Uma reunião não é nada comparada a uma vida inteira de reuniões, uma negociação é apenas uma negociação. Na verdade, podemos ter evitado um problema. A próxima oportunidade pode ser melhor.

A maneira como olhamos para o mundo muda a maneira como vemos essas chances... Nosso ponto de vista realmente está nos fornecendo um *ponto de vista* ou, na verdade, é aquilo que está causando o problema? Eis a questão.

O que podemos fazer é limitar e expandir o nosso ponto de vista para o que quer que nos mantenha mais calmos e prontos para a tarefa em mãos. Pensemos nisso como uma edição seletiva — não para enganar os outros, mas para nos orientarmos adequadamente.

E *funciona*. Pequenos ajustes podem mudar o que antes parecia ser uma tarefa impossível. De repente, percebemos que somos fortes onde nos sentíamos fracos. Com ponto de vista, descobrimos uma vantagem que não sabíamos ter.

Há duas definições para ponto de vista:

1. Contexto: uma noção do quadro mais amplo do mundo, não apenas daquilo que está imediatamente à nossa frente.
2. Estrutura: uma maneira única de um indivíduo ver o mundo, uma forma de interpretar os seus eventos.

Ambos importam, ambos podem ser efetivamente aplicados para mudar uma situação que antes parecia intimidadora ou impossível.

George Clooney passou os seus primeiros anos em Hollywood sendo rejeitado em testes. Ele queria que os produtores e diretores gostassem dele, mas não gostaram. Aquilo o machucou e ele culpou o sistema por não ver quão bom ator ele era.

Esse ponto de vista deve lhe soar familiar. É o ponto de vista dominante que o restante de nós adota em entrevistas de emprego, quando tentamos ganhar um cliente ou interagir com uma pessoa atraente em uma cafeteria. Subconscientemente, nos submetemos ao que Seth Godin, autor e empresário, chama de "tirania de ser escolhido".

Para Clooney, tudo mudou quando ele tentou um novo ponto de vista. Ele percebeu que a escolha de elenco também é um obstáculo para os produtores — eles *precisam* encontrar alguém e todos esperam que a próxima pessoa a entrar na sala seja a pessoa *certa*. Os testes eram uma chance de resolver o problema dos produtores, não o dele.

A partir desse novo ponto de vista, Clooney percebeu que *ele* era a solução. Ele não assumiria a postura de alguém rastejando por uma oportunidade, mas de alguém com algo especial a oferecer. Ele seria a resposta às suas orações, não o contrário. Foi isso o que começou a projetar em seus testes — não apenas as suas habilidades como ator, mas a ideia de que ele era o homem certo para o trabalho. Que ele entendia o que o diretor de elenco e os produtores estavam procurando para determinado papel e que ele o preencheria em qualquer situação: na pré-produção, no set de filmagem e durante a divulgação do filme.

A diferença entre o ponto de vista certo e o errado é tudo.

O modo como interpretamos os eventos em nossa vida, o ponto de vista que assumimos, é a estrutura de nossa resposta futura — se é que haverá uma resposta ou se vamos simplesmente aceitar esses eventos.

Aonde a cabeça vai, o corpo vai atrás. A percepção precede a ação. A ação certa segue o ponto de vista certo.

DEPENDE DE VOCÊ?

Na vida, nosso primeiro trabalho é distinguir e dividir os eventos em duas categorias: a dos eventos externos, que não podemos controlar, e a das escolhas que fazemos em relação a eles, que controlamos. Onde encontrarei o que é bom e o que é ruim? Em mim, em minhas escolhas.

— EPICTETO

Tommy John, um dos arremessadores mais experientes e duradouros do beisebol, jogou 26 temporadas na liga principal. Vinte e seis temporadas! Em seu ano de estreia, o presidente dos Estados Unidos era John F. Kennedy. Em seu último ano, o presidente era George H. W. Bush. Ele fez lançamentos tanto para Mickey Mantle *quanto* para Mark McGwire.

É um feito quase sobre-humano. Mas ele só foi capaz disso porque se tornou muito bom em fazer a si mesmo e aos outros, e de várias formas, as mesmas perguntas: *Há uma oportunidade? Tenho alguma chance? Há algo que eu possa fazer?*

Tudo o que ele sempre buscou foi por um *sim*, não importando quão pequena, breve ou provisória fosse a chance de conseguir aquilo. Se houvesse uma chance, ele estava pronto para aproveitá-la e fazer bom uso dela — pronto para dar cada grama de esforço e energia que lhe restava para fazer aquilo acontecer. Se o esforço afetasse o resultado, ele morreria em campo antes de perder aquela oportunidade.

A primeira vez aconteceu em meados da temporada de 1974, quando Tommy John teve uma lesão permanente no ligamento colateral ulnar do cotovelo de seu braço de arremesso. Até então, no beisebol e na medicina esportiva, quando um arremessador tinha uma lesão como essa, era o fim. Eles a chamavam de lesão de "braço morto". *Game over.*

John não aceitou aquilo. Haveria *alguma coisa* que pudesse lhe dar a chance de voltar ao jogo? Acontece que havia. Os médicos sugeriram uma cirurgia experimental na qual tentariam substituir o ligamento de seu cotovelo por um tendão de seu outro braço. *Quais são as chances de eu voltar após esta cirurgia?* Uma em cem. E sem cirurgia? *Nenhuma*, responderam.

Ele poderia se aposentar. Mas havia uma chance em cem. Com reabilitação e treinamento, a oportunidade estava parcialmente sob o seu controle. Ele aceitou fazer a cirurgia. E ganhou mais 164 jogos nas treze temporadas seguintes. Esse procedimento agora é conhecido como cirurgia Tommy John.

Menos de dez anos depois, John reuniu o mesmo espírito e esforço que arregimentou para a cirurgia no cotovelo quando seu filho caiu de uma janela de terceiro andar, sufocou com a língua e quase morreu. Mesmo no caos da sala de emergência, com os médicos convencidos de que o menino provavelmente não sobreviveria, John lembrou a sua família que, mesmo que demorasse um ou dez anos, eles não desistiriam até que não houvesse absolutamente nada que pudessem fazer.

Seu filho se recuperou completamente.

Em 1988, aos 45 anos, sua carreira no beisebol parecia ter finalmente chegado ao fim quando seu time foi derrotado pelos Yankees na final da temporada. Mas John não aceitou aquilo. Ele ligou para o treinador e perguntou: se eu aparecer no treino de primavera como aspirante ao time, terei uma avaliação justa? O treinador respondeu que ele não deveria jogar beisebol naquela idade. Ele repetiu a pergunta: *Seja franco comigo, se eu aparecer, terei uma chance?* As autoridades do beisebol responderam: *Tudo bem, sim, você será avaliado.*

Assim, Tommy John foi o primeiro a se apresentar. Ele treinou muitas horas por dia, valeu-se de todas as lições que aprendera praticando aquele esporte ao longo de um quarto de século e integrou o time, tornando-se o jogador mais velho daquele esporte. Ele estreou na abertura da temporada em Minnesota e venceu, cedendo apenas duas corridas em sete entradas.

As situações que Tommy John pôde mudar — quando teve uma chance — exigiram 100% do esforço que ele era capaz de reunir. Ele costumava dizer aos treinadores que morreria em campo antes de desistir. Ele entendia que, como atleta profissional, seu trabalho era analisar a diferença entre o improvável e o impossível. Fazer essa minúscula distinção foi o que fez ele ser quem era.

Para dominar esse mesmo poder, os viciados que estão em reabilitação aprendem a Oração da Serenidade:

Deus, dai-me serenidade para aceitar o que não posso mudar,
A coragem de mudar o que posso,
E a sabedoria de saber a diferença.

É assim que eles concentram os seus esforços. É muito mais fácil lutar contra o vício quando você não está lutando contra o fato de ter nascido, de seus pais terem sido uns monstros ou de você ter perdido tudo. Isso já está feito. Decidido. Você tem zero em cem chances de poder mudar esses eventos.

E se você se concentrasse naquilo que *é capaz* de mudar? É aí que você pode fazer a diferença.

Por trás da Oração da Serenidade há uma frase estoica de dois mil anos: *ta eph'hemin, ta ouk eph'hemin*. O que depende de nós, o que não depende de nós.

E o que depende de nós?

Nossas emoções.
Nossas opiniões.
Nossa criatividade.
Nossa atitude.
Nosso ponto de vista.
Nossos desejos.
Nossas decisões.
Nossa determinação.

Este é o nosso campo de jogo, por assim dizer. Tudo aí é lícito. O que não depende de nós? Bem, você sabe, todo o restante. O clima, a economia, as circunstâncias, as emoções ou opiniões de outras pessoas, tendências, desastres etc.

Se o que depende de nós é o campo de jogo, então o que não depende de nós são as regras e as condições do jogo. Fatores dos quais os atletas vencedores tiram o melhor proveito e não perdem tempo argumentando contra (porque não adianta).

Discutir, reclamar ou, pior, simplesmente desistir são escolhas. Escolhas que, na maioria das vezes, em nada nos ajudam a cruzar a linha de chegada.

No que diz respeito à percepção, a distinção crucial a ser feita é entre as escolhas que podemos e aquelas que não podemos fazer. Essa é a diferença entre as pessoas capazes de realizar grandes feitos e aquelas que acham impossível permanecerem sóbrias — e evitar não apenas as drogas ou o álcool, mas *todos* os vícios.

À sua maneira, o dragão mais perigoso que perseguimos é aquele que nos faz pensar que podemos mudar coisas que simplesmente não nos cabe mudar. O fato de alguém decidir não financiar a sua empresa não depende de você. Mas a decisão de refinar e melhorar a sua apresentação, sim. O fato de alguém ter roubado a sua ideia ou tê-la descoberto primeiro não. Mas dar a volta por cima, melhorar ou lutar pelo que é seu, sim.

Focar exclusivamente o que está sob o nosso poder o amplia e aumenta. Mas cada grama de energia direcionado a eventos que não podemos influenciar é desperdiçado, autoindulgente e autodestrutivo. Muito poder — nosso e de outras pessoas — é desperdiçado dessa maneira.

Ver um obstáculo como um desafio e tirar o melhor proveito dele de qualquer maneira também é uma escolha — uma escolha que *depende de nós*.

DEPENDE DE VOCÊ?

Terei uma chance, treinador?
Ta eph'hemin?
Isso depende de mim?

VIVA NO MOMENTO PRESENTE

O segredo para esquecer o quadro geral é olhar tudo de perto.

— CHUCK PALAHNIUK

Faça um favor a si mesmo e analise a lista de negócios iniciados durante depressões ou crises econômicas:

Revista *Fortune* (noventa dias após a queda do mercado de 1929)
FedEx (crise do petróleo de 1973)
UPS (crise de 1907)
Walt Disney Company (enfrentou a quebra do mercado de 1929 após onze meses de funcionamento)
Hewlett-Packard (Grande Depressão, 1935)
Charles Schwab (quebra do mercado de 1974-1975)
Standard Oil (Rockefeller comprou as partes de seus sócios daquilo que viria a se tornar a Standard Oil e assumiu em fevereiro de 1865, no último ano da Guerra Civil)
Coors (Depressão de 1873)
Costco (recessão em fins da década de 1970)
Revlon (Grande Depressão, 1932)

General Motors (crise de 1907)
Proctor & Gamble (crise de 1837)
United Airlines (1929)
Microsoft (recessão de 1973-1975)
LinkedIn (2002, pós-estouro da bolha das pontocom)

Em sua maioria, essas empresas tinham pouca consciência de que estavam atravessando alguma depressão historicamente significativa. Por quê? Porque seus fundadores estavam muito ocupados existindo no presente — lidando com a situação em mãos. Eles não sabiam se a situação iria melhorar ou piorar, só sabiam o que *estava acontecendo no momento*. Eles tinham um trabalho que queriam realizar, uma grande ideia na qual acreditavam ou um produto que pensavam que poderiam vender. Eles sabiam que tinham de honrar a folha de pagamento.

No entanto, em nossa própria vida, não nos contentamos em lidar com os eventos à medida que eles acontecem. Precisamos mergulhar infinitamente no que tudo "significa", se algo é "justo" ou não, o que está "por trás" disso ou daquilo e no que todo mundo está fazendo. Então, nos perguntamos por que não temos energia para realmente lidar com os nossos problemas. Ou ficamos tão preocupados e intimidados por pensar demais que, caso começássemos a trabalhar, provavelmente já estaríamos exaustos.

Nossa compreensão do mundo dos negócios é uma mistura de narrativa e mitologia. O que é engraçado porque deixamos de lado a história real ao nos concentrarmos nos indivíduos. Na verdade, metade das empresas da Fortune 500 foram fundadas durante um mercado em baixa ou em recessão. *Metade*.

A questão é que a *maioria das pessoas* começa em desvantagem (geralmente sem a menor ideia de que está fazendo aquilo) e se sai bem. Não é injusto, é universal. Aqueles que sobrevivem, sobrevivem porque encararam as situações dia a dia — esse é o verdadeiro segredo.

Concentre-se no momento, não nos monstros que podem ou não estar mais à frente.

Uma empresa deve aceitar as restrições operacionais do mundo ao seu redor e trabalhar para obter todas as vantagens possíveis. Essas pessoas com espírito empreendedor são como animais, abençoados por não terem tempo ou a capacidade de pensar em como as coisas deveriam ser ou como prefeririam que fossem.

Para todas as espécies, exceto para nós, humanos, os eventos simplesmente são o que são. Nosso problema é que estamos sempre tentando descobrir o que eles *significam*, por que são como são. Como se o *porquê* importasse. Ralph Waldo Emerson expressou isso da melhor forma possível: "Não podemos passar o dia explicando." Não perca tempo com falsas reflexões.

Não importa se esta é a pior ou a melhor hora para se estar vivo, se você está em um mercado de trabalho bom ou ruim, ou se o obstáculo que você enfrenta é intimidador ou muito penoso. O que importa é que agora mesmo é agora mesmo.

As implicações de nosso obstáculo são teóricas: existem no passado e no futuro. Vivemos *no presente*. E, quanto mais aceitarmos isso, mais fácil será enfrentar e superar o obstáculo.

Você pode pegar o problema com o qual está lidando e usá-lo como uma oportunidade para se concentrar no momento presente. Ignorar a totalidade de sua situação e aprender a se contentar com aquilo que acontece, à medida que acontece.

Não acreditar que o futuro precisa acontecer da "forma certa" para confirmar as suas previsões, porque você não fez nenhuma. Deixar cada momento novo ser uma atualização, apagando o que veio antes e o que os outros acham que virá depois.

Você descobrirá o método que funciona melhor para você, mas há muitas iniciativas que podem puxá-lo para o momento presente: praticar um exercício extenuante. Desconectar-se. Fazer um passeio no parque. Meditar. Adotar um cão — elas são um lembrete constante de como o presente é agradável.

Uma verdade é certa. Não se trata simplesmente de dizer: *Ah, eu viverei no presente*. Você precisa *trabalhar* nisso. Detenha a sua mente quando começar a divagar — não deixe que se afaste de você. Descarte pensamentos perturbadores. Deixe o momento em paz — não importando o quanto você queira fazer o contrário.

No entanto, é mais fácil quando a escolha de limitar o seu escopo se parece mais com edição do que com atuação. Lembre-se de que este dia não é a sua vida, é apenas um momento dela. Concentre-se no que está à sua frente agora. Ignore o que "representa" ou "significa" ou "por que isso aconteceu com você".

Muitos outros eventos estão acontecendo agora mesmo para você se preocupar com isso.

PENSE DIFERENTE

Genialidade é a capacidade de pôr em prática o que está em sua mente. Não há outra definição.

— F. SCOTT FITZGERALD

Steve Jobs era famoso pelo que os observadores chamavam de "campo de distorção da realidade". Parte tática motivacional, parte impulso e ambição, esse campo fez com que ele se tornasse uma pessoa que notoriamente desdenhava de frases como "isso não pode ser feito" ou "precisamos de mais tempo".

Tendo aprendido desde cedo que a realidade estava falsamente cercada por regras e compromissos que as pessoas adquiriam quando crianças, Jobs tinha uma ideia muito mais agressiva daquilo que era ou não possível. Para ele, grande parte da vida era maleável no que dizia respeito à visão e à ética de trabalho.

Por exemplo, Jobs tinha grandes expectativas enquanto projetavam um novo mouse para um dos primeiros produtos da Apple. Ele queria que o cursor se movesse com fluidez em qualquer direção — um avanço para qualquer mouse da época —, mas seu engenheiro-chefe foi informado por um de seus projetistas que aquilo seria comercialmente inviável. O que Jobs queria não era realista e não funcionaria. No dia seguinte, o engenheiro-chefe chegou ao trabalho e descobriu que Steve Jobs demitira o funcionário que dissera aquilo. Quando o substituto assumiu, suas primeiras palavras foram: "Eu posso fazer o mouse."

Essa era a visão de Jobs da realidade no trabalho. Maleável, obstinado, autoconfiante. Não no sentido delirante, mas com o propósito de realizar algo. Ele sabia que mirar baixo significava aceitar realizações medíocres. Mas, se os projetos dessem certo, uma mira alta poderia produzir algo extraordinário. Ele era Napoleão gritando para os seus soldados: "Os Alpes não existem!"

Para a maioria de nós, esse tipo de confiança não surge com facilidade. O que é compreensível. Muitas pessoas em nossa vida pregam a necessidade de sermos realistas, conservadores ou, pior ainda, não balançarmos o barco. Essa é uma enorme desvantagem quando se trata de tentar grandes conquistas. Porque embora as nossas dúvidas (e inseguranças) pareçam reais, têm pouquíssima relação com o que é ou não é possível.

Nossas percepções determinam, em altíssimo grau, aquilo de que somos ou não capazes. Em muitos aspectos, determinam a própria realidade. Quando acreditamos no obstáculo mais do que na meta, quem inevitavelmente triunfará?

Por exemplo, pense nos artistas. Suas visões e vozes únicas são o que impulsionam a definição de "arte". Aquilo que era possível para um artista antes de Caravaggio e depois que ele nos surpreendeu com as suas obras-primas sombrias eram duas coisas muito distintas. Escolha qualquer outro pensador, escritor ou pintor em seu próprio tempo, e a mesma ideia se aplica.

É por isso que não devemos dar tanta atenção ao que dizem as outras pessoas (nem ao que diz a voz em nossa cabeça). Acabaremos não realizando coisa alguma.

Esteja aberto. Questione.

Embora, é claro, não *controlemos* a realidade, nossas percepções a influenciam.

Uma semana antes do lançamento do primeiro computador Macintosh, os engenheiros disseram para Jobs que não conseguiriam cumprir o prazo. Em uma teleconferência montada às pressas, os engenheiros explicaram que precisavam de apenas mais duas semanas de trabalho. Jobs respondeu com calma, explicando aos engenheiros que, se conseguiam fazer aquilo em duas semanas, certamente conseguiriam fazer em uma: não havia grande diferença em um período tão curto. E, mais importante, como eles chegaram até ali e fizeram um trabalho tão bom, não havia como eles *não* lançarem o produto em 16 de janeiro, a data originalmente programada. Os engenheiros se animaram e cumpriram o prazo. Mais uma vez, sua insistência os forçou a irem além do que sempre pensaram ser possível.

No entanto, como você e eu geralmente lidamos com um prazo impossível imposto por algum superior? Nós reclamamos. Ficamos com raiva. Questionamos. *Como podem? Qual é o objetivo? Quem eles pensam que eu sou?* Procuramos uma saída e sentimos pena de nós mesmos.

Claro, nenhuma dessas reações afeta a realidade objetiva do prazo. Não da maneira que um empurrão para a frente é capaz de alterar. Jobs se recusava a tolerar pessoas que não acreditavam nas próprias habilidades para alcançar o sucesso. Mesmo que suas exigências fossem injustas, desconfortáveis ou ambiciosas.

A genialidade e a maravilha de seus produtos — que muitas vezes pareciam impossivelmente intuitivos e futuristas — incorporam essa característica. Ele ultrapassou o que os outros pensavam ser sérias limitações e, como resultado, criou algo totalmente novo. Ninguém acreditava que a Apple pudesse fabricar os produtos que fabricou. Na verdade, Jobs foi afastado da empresa em 1985 porque os membros do conselho naquela época achavam que a investida da Apple em produtos de consumo era um "plano de maluco". Claro, eles estavam errados.

Jobs aprendeu a rejeitar os primeiros julgamentos e as objeções que deles decorrem, porque quase sempre essas objeções têm as suas raízes no medo. Quando ele encomendou um tipo especial de vidro para o primeiro iPhone, os fabricantes ficaram horrorizados com o prazo muito apertado. "Não temos condições", disseram. "Não tenham medo", respondeu Jobs. "Vocês conseguem. Pensem nisso. Vocês conseguem." Quase da noite para o dia, os fabricantes transformaram as suas instalações em gigantes da fabricação de vidro e, em seis meses, produziram o suficiente para prover toda a primeira versão do aparelho.

Isso é radicalmente diferente de como fomos ensinados a agir. *Seja realista*, dizem. *Ouça as críticas. Jogue com os outros. Faça concessões.* Bem, e se a "outra" parte estiver errada? E se a sabedoria convencional for muito conservadora? O que nos detém é esse impulso muito comum de *reclamar, adiar e, então, desistir.*

Um empreendedor é alguém que acredita em sua capacidade de fazer algo onde não havia nada anteriormente. Para ele, a ideia de ninguém *jamais* ter feito isso ou aquilo é uma constatação boa. Quando recebem uma tarefa injusta, alguns empreendedores acertadamente a veem como uma chance de testar as suas capacidades — dar tudo o que têm, sabendo muito bem como será difícil vencer. Veem isso como uma oportunidade porque muitas vezes é nesse estado desesperado de nada a perder que somos mais criativos.

Nossas melhores ideias vêm daí, onde os obstáculos iluminam novas opções.

ENCONTRE A OPORTUNIDADE

Uma pessoa boa pinta os acontecimentos com a sua própria cor... e se beneficia com tudo o que acontece.

— SÊNECA

Um dos avanços mais assustadores da guerra moderna foi a *blitzkrieg* alemã (guerra-relâmpago). Na Segunda Guerra Mundial, os alemães queriam evitar o prolongado combate nas trincheiras das guerras anteriores. Assim, concentraram divisões móveis em forças ofensivas rápidas e localizadas que pegavam os inimigos completamente desprevenidos. Como a ponta de uma lança, colunas de tanques Panzer invadiram a Polônia, a Holanda, a Bélgica e a França com resultados devastadores e pouquíssima oposição. Na maioria dos casos, os comandantes inimigos simplesmente se renderam, em vez de enfrentar o que parecia ser um monstro invencível e infatigável que caía sobre eles. A estratégia da *blitzkrieg* foi projetada para explorar a hesitação do inimigo — que entrava em colapso ao ver o que parecia ser uma força avassaladora. Seu sucesso dependia totalmente dessa resposta. Essa estratégia militar funcionava porque as tropas atacadas viam a força ofensiva como um enorme obstáculo a se abater sobre elas.

É assim que a oposição aliada viu a *blitzkrieg* durante a maior parte da guerra. Via apenas o seu poder e a sua própria vulnerabilidade frente àquilo. Nas semanas e meses após a bem-sucedida invasão da Normandia pelas forças aliadas, a enfrentaram novamente: uma maciça contraofensiva alemã. Como poderiam impedir aquilo? Será que seriam empurrados de volta às mesmas praias que acabaram de invadir por um preço tão alto?

Um grande líder respondeu a essa pergunta. Entrando na sala de reuniões do quartel-general em Malta, o general Dwight D. Eisenhower declarou que não mais aturaria a trêmula timidez de seus generais desestimulados. "Devemos considerar a situação atual como uma oportunidade, não como um desastre", ordenou. "Só quero ver rostos alegres nesta mesa de reuniões."

Na contraofensiva que se anunciava, Eisenhower foi capaz de ver a solução tática que estava diante deles o tempo todo: a estratégia nazista carregava dentro de si a sua própria destruição.

Somente então os Aliados foram capazes de ver a oportunidade *dentro* do obstáculo, em vez de simplesmente o obstáculo que os ameaçava. Percebido corretamente, desde que os Aliados pudessem se dobrar e não quebrar, esse ataque levaria mais de cinquenta mil soldados alemães a caírem direto em uma rede — ou um "moedor de carne", como eloquentemente definiu George Patton.

A Batalha do Bulge e, antes disso, a Batalha da Bolsa de Falaise, ambas temidas como importantes viradas de jogo e o fim do ímpeto dos Aliados, foram na verdade os seus maiores triunfos. Ao permitir uma cunha avançada do Exército alemão e, então, atacando pelos flancos, os Aliados cercaram totalmente o inimigo pela retaguarda. O avanço invencível e penetrante dos Panzers alemães não foi apenas impotente, mas suicida — um exemplo clássico de por que você nunca deve deixar os seus flancos desguarnecidos.

Mais importante, esse é um exemplo clássico do papel que nossas percepções desempenham no sucesso ou no fracasso daqueles que se opõem a nós.

Uma coisa é não ser oprimido, desencorajado ou perturbado por obstáculos. Isso é algo que poucos são capazes de fazer. Mas, depois de controlar as suas emoções, ser capaz de ver objetivamente e permanecer firme, a próxima etapa se torna possível: uma inversão mental na qual você não está olhando para o obstáculo, mas para a oportunidade dentro dele.

Como disse Laura Ingalls Wilder: "Existe o bem em tudo, basta procurarmos."

No entanto, somos péssimos observadores. Fechamos os nossos olhos para o presente. Imagine se você estivesse no lugar de Eisenhower, com um exército avançando em sua direção, e visse apenas uma derrota iminente. Quanto tempo mais a guerra teria durado? Quantas vidas mais seriam perdidas?

Os preconceitos são o nosso problema. Eles nos dizem que as coisas deveriam ou precisam ser de uma certa forma, e então, quando não são, naturalmente assumimos que estamos em desvantagem ou que estaríamos perdendo o nosso tempo caso seguíssemos um curso alternativo. Quando, na verdade, vale tudo nesse jogo e cada situação é uma oportunidade para agirmos.

Vejamos uma situação pela qual todos já passamos: ter um chefe ruim. Tudo o que vemos é o inferno. Tudo o que vemos é aquele peso caindo sobre nós. Nós recuamos.

Mas e se você considerar isso uma oportunidade em vez de um desastre?

Se você pensar dessa forma quando estiver no fim da linha e já pensando em desistir, realmente terá uma chance única de crescer e melhorar a si mesmo. Uma oportunidade única de experimentar soluções diferentes, tentar outras táticas ou assumir novos projetos para adicionar ao seu conjunto de habilidades. Você pode estudar esse chefe ruim e aprender com ele — enquanto prepara o seu currículo e faz contatos para conseguir um emprego melhor em algum outro lugar. Você pode se preparar para esse trabalho experimentando novos estilos de comunicação ou levantando-se em sua defesa, tudo isso com uma rede de segurança perfeita: demitir-se e ir embora dali.

Com essa nova atitude e destemor, quem sabe, você conseguirá obter concessões e descobrir que voltou a gostar daquele trabalho. Um dia, o chefe cometerá um erro; então, você fará a sua jogada e o superará. Será muito melhor do que a alternativa: choramingar, falar mal, ser falso, ser fraco.

Ou considere aquele rival de longa data no trabalho (ou aquela empresa rival), aquele que lhe provoca dores de cabeça sem fim. Observe o fato de que ele também:

- Mantém você alerta.
- Aumenta as apostas.
- Motiva você a mostrar que ele está errado.
- Ajuda você a dar valor aos amigos de verdade.
- Fornece um instrutivo exemplo daquilo que você não quer ser.

Ou aquele erro no computador que apagou todo o seu trabalho? Agora você será duas vezes melhor naquilo, pois terá que fazer de novo. Que tal aquela decisão de negócios que acabou se revelando um erro? Bem, você apostou em uma hipótese que acabou se revelando errada. Por que isso deveria perturbá-lo? Não perturbaria um cientista, mas o *ajudaria*. Talvez você não deva apostar tanto na próxima vez. E agora aprendeu duas coisas: que o seu palpite estava errado e quão disposto você está a correr risco.

Custos e benefícios não são mutuamente exclusivos. É muito mais complicado. Sócrates tinha uma esposa mesquinha e ranzinza e gostava de dizer que o seu casamento com ela era uma boa oportunidade para praticar a filosofia.

Claro que, se possível, você evitará algo negativo. Mas e se você fosse capaz de lembrar, no momento, o segundo ato que parece suceder às situações infelizes que tanto tentamos evitar?

Recentemente, psicólogos esportivos fizeram um estudo com atletas de elite que foram atingidos por alguma adversidade ou grave lesão. Inicialmente, todos relataram sensação de isolamento, distúrbio emocional e dúvidas quanto à sua capacidade atlética. Depois disso, no entanto, todos relataram terem adquirido o desejo de ajudar o próximo, a adoção de um novo ponto de vista e a compreensão de seus próprios pontos fortes. Em outras palavras, cada medo e dúvida que sentiram durante a lesão se transformou em maiores habilidades exatamente nessas áreas.

É uma bela ideia. Os psicólogos chamam isso de crescimento adversário e crescimento pós-traumático. "Aquilo que não me mata me fortalece" não é um clichê, mas um fato.

A luta contra um obstáculo inevitavelmente impulsiona o lutador a um novo nível de atuação. A extensão da luta deter mina a extensão do crescimento. O obstáculo é uma vantagem, não uma adversidade. O inimigo é qualquer percepção que nos impeça de ver isso.

De todas as estratégias que mencionamos, esta é a que você sempre pode usar. Tudo pode ser invertido se for visto com um novo olhar: um olhar penetrante que ignora a embalagem e vê apenas o presente.

Ou podemos lutar ao longo de todo o caminho. O resultado é o mesmo. O obstáculo ainda existirá. Uma das alternativas dói menos. O benefício ainda está lá, abaixo da superfície. Que tipo de idiota resolve não aceitá-lo?

Somos gratos pelos desafios que as outras pessoas evitam, ou dos quais recuam.

Quando as pessoas são:

- Rudes ou desrespeitosas: elas nos subestimam. O que é uma grande vantagem.
- Intrigantes: não precisamos nos desculpar quando seguirmos o seu exemplo.
- Críticas ou questionadoras de nossas habilidades: expectativas mais baixas são mais fáceis de superar.
- Preguiçosas: faz tudo o que realizamos parecer ainda mais admirável.

É impressionante: esses são pontos de partida perfeitamente bons, melhores, em alguns casos, do que tudo o que você esperava no melhor dos cenários. Que vantagem você tira de alguém ao ser educado? Ou trocando socos com ela? Por trás de comportamentos que provocam uma reação negativa imediata, sempre há uma oportunidade — algum benefício exposto que podemos assimilar mentalmente e, então, agir.

Portanto, concentre-se nisto: no presente mal embalado e inicialmente repulsivo que você recebe em todas as situações aparentemente desvantajosas. Porque embaixo da embalagem está o que precisamos — geralmente, algo de valor real. Um presente de grande benefício.

Ninguém está se referindo a trivialidades do tipo "ver o copo meio cheio". Essa deve ser uma mudança de visão completa. Você deve ver por meio do negativo, além de seu lado inferior, e olhar para a sua consequência: o positivo.

PREPARE-SE PARA AGIR

Em seguida, imite o tigre,
enrijeça os tendões, faça o sangue ferver.

— WILLIAM SHAKESPEARE

Os problemas raramente são tão ruins quanto pensamos — ou, melhor, são *exatamente* tão ruins quanto *pensamos*.

É um grande passo perceber que a pior coisa que pode acontecer nunca é o fato em si, mas o fato *e* perder a cabeça. Porque, então, você terá dois problemas (um deles desnecessário e o segundo causado pelo primeiro).

A exigência sobre você é esta: depois de ver o mundo como ele realmente é, pelo que é, você deve agir. A percepção adequada — objetiva, racional, ambiciosa, limpa — isola o obstáculo e expõe o que ele é de fato.

Uma mente mais nítida torna as mãos mais firmes.

E, então, essas mãos devem ser postas para trabalhar. Para um *bom* uso.

Todos precisamos fazer suposições na vida, precisamos pesar custos e benefícios. Ninguém está pedindo que você olhe para o mundo por meio de lentes cor-de-rosa. Ninguém está pedindo fracasso ou martírio nobres.

Ousadia é agir mesmo assim, mesmo que você entenda o lado negativo e a realidade de seu obstáculo. Decida enfrentar o que está em seu caminho — não porque você é um jogador que desafia as probabilidades, mas porque você as calculou e corajosamente abraçou o risco.

Afinal, agora que você gerenciou as percepções de maneira adequada, o que vem a seguir é agir.

Você está pronto?

PARTE II

AÇÃO

O QUE É AÇÃO? Ação é lugar-comum, já a ação certa, não. Enquanto disciplina, não é qualquer tipo de ação que funcionará, mas a ação *direcionada*. Tudo deve ser feito a serviço do todo. Passo a passo, ação por ação, desmontamos os obstáculos à nossa frente. Com persistência e flexibilidade, agiremos no melhor interesse de nossos objetivos. A ação requer coragem, não impetuosidade — aplicação criativa e não força bruta. Nossos movimentos e decisões nos definem: devemos ter certeza de agir com deliberação, ousadia e persistência. Esses são os atributos da ação correta e eficaz. Nada mais — nem pensamento, fuga ou ajuda alheia. A ação é a solução e a cura para as nossas dificuldades.

A DISCIPLINA DA AÇÃO

Havia poucas evidências de que Demóstenes estava destinado a se tornar o maior orador de Atenas, muito menos de toda a história. Ele nascera doente e frágil, com um problema de fala quase debilitante. Aos 7 anos, perdeu o pai, o que piorou a situação.

A grande herança que seu pai lhe deixou — destinada a pagar professores e as melhores escolas — fora roubada pelos tutores encarregados de protegê-lo, que se recusaram a pagar os professores, privando-o da educação à qual tinha direito. Ainda fraco e doente, Demóstenes também não conseguia se destacar na outra esfera crítica da vida grega: a arena do ginásio.

Ali estava aquela criança órfã, afeminada e desajeitada que ninguém entendia e de quem todos riam. Não era de se esperar que em breve aquele menino teria o poder de mobilizar uma nação para a guerra apenas com suas palavras.

Desfavorecido por natureza, abandonado pelas pessoas de quem dependia, quase todos os males que podem ser infligidos a uma criança recaíram sobre Demóstenes. Nada daquilo era justo, nada daquilo era certo. Na posição dele, a maioria de nós teria desistido. Mas Demóstenes não desistiu.

Em sua mente jovem estava gravada a imagem de um grande orador, um homem que certa vez ele vira discursando na corte de Atenas. Aquele indivíduo solitário, tão habilidoso e poderoso, conquistara a admiração da multidão, que ficara horas extasiada com suas palavras — subjugando toda a oposição apenas com o som de sua voz e a força de suas ideias. Aquilo inspirou e desafiou um Demóstenes fraco, abatido, impotente e ignorado; de muitas maneiras, aquele orador forte e confiante era o seu oposto.

Então, ele fez algo a respeito.

Para superar o problema de fala, Demóstenes criou estranhos exercícios. Ele enchia a boca com pedrinhas e praticava a fala. Ele ensaiou discursos inteiros contra o vento ou enquanto subia ladeiras íngremes. Ele aprendeu a fazer discursos inteiros de um único fôlego. Logo, sua voz baixa e fraca explodiu com poderosa e estrondosa clareza.

Demóstenes literalmente se trancou no subsolo, em um abrigo que construiu para estudar e se educar. Para garantir que não se entregaria a distrações externas, raspou metade da cabeça para ficar com vergonha de sair dali. E, daquele momento em diante, desceu diariamente até o seu escritório para aperfeiçoar a sua voz, suas expressões faciais e seus argumentos.

Quando se aventurou a sair, foi para aprender ainda mais. Cada momento, cada conversa, cada transação, era uma oportunidade para aprimorar a sua arte. Tudo com um único objetivo: enfrentar os seus inimigos no tribunal e reconquistar o que lhe fora tirado. O que acabou conseguindo.

Quando atingiu a maioridade, finalmente entrou com uma ação contra os tutores negligentes que o haviam prejudicado. Estes apelaram e contrataram os próprios advogados, mas

Demóstenes se recusou a ser detido. Flexível e criativo, ele os enfrentou, ação por ação, e proferiu incontáveis discursos. Eles não eram páreo para alguém confiante em suas novas forças, impulsionado por seu próprio trabalho. Demóstenes acabou vencendo.

Restava apenas uma fração da herança original, mas o dinheiro tornou-se secundário. A reputação de Demóstenes como orador, a capacidade de comandar uma multidão e seu inigualável conhecimento da complexidade das leis valiam mais do que tudo o que restou de uma fortuna outrora abundante.

Cada discurso que fazia o tornava mais forte, cada dia que persistia o tornava mais determinado. Ele podia ver além dos valentões e encarar o medo. Ao lutar contra seu infeliz destino, Demóstenes encontrou a verdadeira vocação: ele seria a voz de Atenas, seu grande orador e consciência. Ele teria sucesso justamente devido ao que sofrera e como reagira àquilo. Ele canalizou a raiva e a dor para o seu treinamento e, mais tarde, em seus discursos, a tudo impulsionando com uma espécie de ferocidade e poder que não podiam ser comparados nem enfrentados.

Certa vez, um acadêmico perguntou a Demóstenes quais eram as três características mais importantes do discurso. Sua resposta disse tudo: "Ação, ação, ação!"

Claro, Demóstenes perdeu a herança que herdou dos pais, e isso foi lamentável. Contudo, no processo de lidar com essa realidade, criou uma muito melhor — uma que jamais lhe poderia ser tirada.

Mas, e você? Qual é a sua reação quando recebe uma cartada ruim? Desiste? Ou joga com as cartas que tem?

Se acontecer uma explosão, seja metafórica ou literal, você é a pessoa que corre em direção a ela? Ou foge? Ou, pior, fica paralisado e não faz nada?

Esse pequeno teste de caráter diz tudo sobre nós.

E é triste que tantos de nós falhemos — optando por nos afastar da ação. Porque a ação é natural, inata. Se você tropeçar e cair agora, os instintos de seu corpo o protegerão. Você estenderá as mãos para amortecer a queda e não machucar o rosto. Em um acidente grave, você entra em choque, mas, ainda assim, consegue proteger a face com os braços. É daí que vem o termo *ferimentos defensivos*. Não pensamos, não reclamamos, não discutimos. Nós agimos. Temos força verdadeira — mais força do que sabemos.

Em nossa vida, entretanto, quando nossos piores instintos assumem o controle, perdemos tempo. Não agimos como Demóstenes. Agimos com fragilidade e somos impotentes para melhorar a nossa situação. Podemos ser capazes de articular um problema, até mesmo soluções potenciais, mas semanas, meses ou às vezes anos depois, o problema ainda está lá. Ou piorou. Como se esperássemos que outra pessoa lidasse com isso, como se acreditássemos honestamente que há uma chance dos obstáculos se *desobstruírem* por conta própria.

Todos nós já fizemos isso. Dissemos: "Estou tão [sobrecarregado, cansado, estressado, ocupado, travado, derrotado]."

E o que fazemos a respeito? Saímos para nos divertir. Ou nos mimamos. Ou dormimos. Ou esperamos.

É mais cômodo ignorar ou fingir. Mas, no fundo, sabe que isso não o tornará melhor. Você precisa agir. E precisa começar agora.

Nós nos esquecemos que, na vida, não importa o que aconteça com você ou de onde você veio. O importante é aquilo que faz com o que lhe acontece e com o que tem. E a única maneira de fazer algo espetacular é usando tudo isso a seu favor.

Pessoas transformam carvão em diamante o tempo todo ao enfrentarem adversidades muito piores do que qualquer problema com o qual estejamos lidando. Estou falando de deficiências físicas, discriminação racial, batalhas contra exércitos esmagadoramente superiores. Mas essas pessoas não desistem. Não sentem pena de si mesmas. Não se iludem fantasiando sobre soluções fáceis. Elas se concentram na única meta que importa: dedicar-se com entusiasmo e criatividade.

Nascidos sem nada, na pobreza, na luta ou no caos de décadas passadas, certas pessoas se livraram das noções modernas de justiça, bem ou mal. Porque nada disso se aplicava a elas. O que dispunham à sua frente era tudo o que sabiam — tudo o que tinham. E, em vez de reclamarem, trabalharam com aquilo. Fizeram o melhor possível. Porque precisavam fazer, porque não tinham escolha.

Ninguém deseja nascer fraco ou ser oprimido. Ninguém quer ser reduzido ao seu último centavo. Ninguém quer ficar preso atrás de um obstáculo, impedido de ir aonde precisa ir. Tais circunstâncias não são causadas pela percepção, mas não são indiferentes — ou melhor, imunes — à ação. Na verdade, é a única reação a que tais situações respondem.

Ninguém está dizendo que você não tem direito de parar um minuto e pensar: *Droga, isso é uma merda*. Por favor, desabafe. Respire. Avalie. Só não fique muito tempo nisso. Porque você precisa voltar ao trabalho. Porque cada obstáculo que superamos nos torna mais fortes para enfrentarmos o próximo.

Mas...

Não. Sem desculpas. Sem exceções. De jeito algum: depende de você.

Não podemos nos dar ao luxo de fugir. De nos esconder. Porque estamos tentando fazer algo muito específico. Temos um obstáculo no qual devemos nos apoiar e transformar.

Ninguém virá salvá-lo. E, se quisermos ir aonde afirmamos que queremos ir — para realizarmos o que afirmamos ser os nossos objetivos —, só há um caminho: responder aos nossos problemas com a ação correta.

Portanto, podemos sempre (e apenas) saudar os nossos obstáculos:

- Com energia.
- Com persistência.
- Com um processo coerente e deliberado.
- Com repetição e resiliência.
- Com pragmatismo.
- Com visão estratégica.
- Com astúcia e habilidade.
- De olho nas oportunidades e momentos cruciais.

Você está pronto para começar a trabalhar?

MANTENHA-SE EM MOVIMENTO

Todos devemos nos esgotar ou enferrujar, cada um de nós. Minha escolha é me esgotar.

— THEODORE ROOSEVELT

Amelia Earhart queria ser uma grande aviadora. Mas estávamos na década de 1920 e as pessoas ainda pensavam que as mulheres eram frágeis, fracas e incapazes. O sufrágio feminino ainda não tinha nem uma década.

Como piloto, ela não ganhava o suficiente para viver, de modo que arranjou um emprego como assistente social. Então, certo dia, o telefone tocou. O homem no outro lado da linha lhe fez uma proposta indecorosa, que era mais ou menos assim: *Temos alguém disposto a financiar o primeiro voo transatlântico feminino. Nossa primeira escolha desistiu. Na verdade, você não pilotará o avião. Enviaremos dois homens como acompanhantes e, adivinhe, pagaremos muito dinheiro para eles e você não receberá um tostão. Ah, sim: você pode morrer no processo.*

Sabe qual foi a resposta de Amelia? Ela aceitou.

Porque é isso que fazem as pessoas que desafiam as probabilidades. É isso que fazem as pessoas que se tornam excelentes em uma habilidade — seja voando ou superando estereótipos de gênero. Elas começam. Em qualquer ponto. De qualquer maneira. Elas não se importam se as condições são perfeitas ou se estão sendo menosprezadas. Porque elas sabem que, assim que começarem, se conseguirem algum impulso, poderão fazer aquilo funcionar.

Foi o que aconteceu com Amelia Earhart. Menos de cinco anos depois, ela foi a primeira mulher a voar sozinha e sem escalas através do Atlântico e se tornou, com razão, uma das pessoas mais famosas e respeitadas do mundo.

Mas nada disso teria acontecido caso ela tivesse torcido o nariz para a oferta indecorosa ou ficasse sentada sentindo pena de si mesma. Nada disso poderia ter ocorrido caso ela tivesse parado depois daquela primeira realização. O que importa é que ela aproveitou a chance e, então, seguiu em frente. Essa foi a razão de seu sucesso.

A vida pode ser frustrante. Muitas vezes sabemos quais são os nossos problemas. Podemos até saber o que fazer com eles, mas tememos que agir seja muito arriscado, que não tenhamos experiência, que não seja como imaginamos ou porque é muito caro, muito cedo, pensamos que algo melhor pode surgir, ou que pode não funcionar.

E você sabe o que acontece como resultado? Nada. Não fazemos nada.

Diga para si mesmo: o tempo se esgotou. O vento está aumentando. O sino está tocando. Comece a agir, mexa-se.

Frequentemente presumimos que o mundo se move ao nosso bel-prazer. Nós adiamos quando devemos começar, paramos quando deveríamos estar andando ou, melhor ainda, correndo. Então, ficamos chocados — *chocados!* — quando nada de grandioso acontece, quando as oportunidades nunca aparecem, quando novos obstáculos começam a se acumular ou os inimigos finalmente se organizam.

Mas é claro. Nós demos espaço para eles respirarem. Nós demos uma chance.

Portanto, o primeiro passo é: tire a bola da bolsa e dê um chute. Você precisa começar, ir a algum lugar.

Agora, vamos supor que você já tenha feito isso. Ótimo. Fantástico. Você já está na frente da maioria das pessoas. Mas façamos uma pergunta honesta: você poderia estar fazendo mais? Provavelmente sim — sempre há mais a ser feito. No mínimo, poderia se esforçar mais. Você pode até ter começado, mas não está dedicando todo o seu esforço — o que é evidente.

Isso afetará os seus resultados? Com certeza.

Nos primeiros anos da Segunda Guerra Mundial, não havia pior missão para um militar britânico do que ser enviado para a frente do Norte da África. Metódicos e ordeiros, os ingleses odiavam as agruras do clima e o terreno que estragava as suas máquinas e os seus planos. Eles agiam como se sentiam: lentos, tímidos, cautelosos.

Por outro lado, o marechal de campo alemão, general Erwin Rommel, adorava tudo aquilo. Ele via a guerra como um jogo. Um jogo perigoso, imprudente, rápido e desordenado. E, o mais importante, ele entrou nesse jogo com uma energia incrível, sempre estimulando as suas tropas.

As tropas alemãs tinham até um ditado que dizia: onde Rommel estiver, estará a frente da batalha.

Esse é o próximo passo: enfiar os pés nos estribos e realmente *seguir* em frente.

Definitivamente não é isso que a maioria dos líderes atuais faz. Enquanto CEOs que recebem muito dinheiro tiram longas férias e se escondem atrás de respostas automáticas de e--mail, alguns programadores trabalham dezoito horas por dia, codificando a startup que destruirá os negócios desses CEOs. E, se formos honestos, provavelmente estamos mais próximos dos primeiros do que dos últimos no que diz respeito aos problemas que enfrentamos (ou não).

Enquanto você dorme, viaja, participa de reuniões ou perde tempo na internet, a mesma situação está acontecendo com você. Está ficando frouxo. Você não é agressivo o suficiente. Não está pressionando. Você tem um milhão de motivos para explicar por que não consegue se mover em um ritmo mais acelerado. Tudo isso faz com que os obstáculos em sua vida pareçam enormes.

Por algum motivo, hoje em dia tendemos a subestimar a importância de sermos agressivos, de corrermos riscos, de seguirmos em frente. Provavelmente porque essas coisas foram negativamente associadas a certas noções de violência ou masculinidade.

Mas Earhart demostrou que isso não é verdade. Na lateral de seu avião ela escreveu as seguintes palavras: "Sempre pense com o manche para a frente." Ou seja: você nunca deve diminuir a velocidade de voo — caso contrário, o avião cairá. Seja cauteloso, é claro, mas siga sempre em frente.

E essa é a parte final: mantenha-se em movimento, *sempre*.

Assim como Earhart, Rommel sabia que aqueles que atacam os problemas e a vida com iniciativa e energia geralmente vencem. Ele estava sempre avançando sobre as forças britânicas mais cautelosas com um efeito devastador.

Suas ofensivas na Cirenaica, Tobruk e Tunísia resultaram em algumas das vitórias mais espetaculares da história da guerra. Rommel começou cedo, enquanto os britânicos ainda tentavam se acomodar e, como resultado, foi capaz de aproveitar uma vantagem aparentemente irresistível em alguns dos terrenos mais inóspitos do planeta. Ele avançou distâncias enormes através dos desolados campos de batalha do Norte da África, enfrentando tempestades de areia avassaladoras, calor escaldante e falta de água, porque ele nunca, jamais parou de se mover.

Rommel surpreendeu até mesmo os seus comandantes, que diversas vezes tentaram desacelerá-lo. Eles preferiam o debate e a discussão ao avanço. Isso teve um efeito devastador no ímpeto que Rommel desejava imprimir às suas tropas — assim como acontece em nossa própria vida.

Então, quando se descobrir frustrado na busca de seus objetivos, não fique aí sentado reclamando que não tem aquilo que quer ou que tal obstáculo é inabalável. Se você ainda não tentou, é claro que o obstáculo ainda estará no mesmo lugar onde estava anteriormente. Na verdade, você não correu atrás de coisa nenhuma.

Socialmente, falamos muito sobre coragem, mas esquecemos que, em seu nível mais básico, trata-se apenas de agir — seja abordar alguém por quem você se sente intimidado ou finalmente decidir esmiuçar um livro sobre um assunto que você precisa aprender. Assim como Earhart fez, todos os grandes que você admira começaram dizendo: *Sim, vamos lá*. E eles geralmente faziam isso em circunstâncias muito mais desfavoráveis do que aquelas que algum dia enfrentaremos.

Só porque as condições não são exatamente do seu agrado, ou porque você ainda não se sente pronto, isso não significa que tem uma desculpa. Se quiser impulso, precisa criá-lo sozinho, agora mesmo, levantando-se e começando a agir.

PRATIQUE A PERSISTÊNCIA

Dizem que a melhor saída é sempre em frente
E eu concordo com isso, ou até agora
Já que não consigo ver outra saída, senão em frente.

— ROBERT FROST

Por quase um ano, o general Ulysses S. Grant tentou quebrar as defesas de Vicksburg, uma cidade situada no alto das falésias do Mississippi, fundamental para o controle dos confederados sobre o rio mais importante do país. Ele tentou atacar de frente. Ele tentou dar a volta. Ele passou meses abrindo um novo canal que mudaria o curso do rio. Ele explodiu os diques rio acima e literalmente tentou entrar com barcos nas terras inundadas da cidade. No entanto, nada disso funcionou. O tempo todo os jornais repercutiam o acontecimento. Meses se passaram sem nenhum progresso. Lincoln enviou um substituto, e o homem já estava pronto para assumir. Mas Grant não se abalou, recusando a se apressar ou desistir. Ele está plenamente convencido de que havia um ponto fraco em algum lugar. Ele o encontraria ou criaria um.

Seu próximo movimento contrariou a quase todas as teorias militares convencionais. Ele decidiu fazer os seus barcos passarem pelas baterias de canhões que protegiam o rio — um risco considerável, porque uma vez rio abaixo, não poderiam voltar a subi-lo. Apesar de um tiroteio noturno sem precedentes, quase todos os barcos conseguiram atravessar ilesos. Poucos dias depois, Grant cruzou o rio uns cinquenta quilômetros mais abaixo, em um lugar apropriadamente chamado de Hard Times [Tempos Difíceis], na Louisiana.

O plano de Grant era ousado: ao deixarem a maior parte de seus suprimentos para trás, suas tropas teriam de viver do que encontrassem e subir o rio, tomando cidade após cidade ao longo do caminho. Quando Grant sitiou a própria Vicksburg, a mensagem para seus homens e para seus inimigos era clara: ele não desistiria. As defesas acabariam cedendo. Era impossível parar Grant. Sua vitória não seria bonita, mas era inevitável.

Se quisermos superar os nossos obstáculos, esta é a mensagem a transmitir — interna e externamente: não seremos detidos pelo fracasso, não seremos apressados ou distraídos pelo ruído externo. Vamos atacar e imobilizar o obstáculo até que ele desapareça. Resistir é inútil.

Em Vicksburg, Grant aprendeu duas coisas. Primeiro, que persistência e perseverança eram ativos incríveis e provavelmente seus principais como líder. Segundo, como geralmente é o resultado de tal dedicação, ao exaurir todas as outras opções tradicionais, ele foi forçado a tentar algo novo. Essa opção — abrir mão de seus suprimentos e viver dos despojos do território hostil — era uma estratégia não testada anteriormente que agora o Norte poderia usar para lentamente esgotar o Sul de seus recursos e de sua vontade de lutar.

Com a persistência, ele não apenas conseguiu passar: ao tentar de todas as maneiras erradas, Grant descobriu uma maneira totalmente nova — a maneira que acabaria por vencer a guerra.

A história de Grant não é uma exceção à regra. É *a* regra. É assim que a inovação funciona.

Em 1878, Thomas Edison não era a única pessoa fazendo experiências com lâmpadas incandescentes. Mas foi o único disposto a experimentar seis mil filamentos diferentes — incluindo um feito com um fio da barba de um de seus homens — cada vez mais perto daquele que finalmente funcionaria.

E, é claro, ele acabou descobrindo — provando que, geralmente, genialidade é apenas persistência disfarçada. Ao aplicar toda a sua energia física e mental — nunca se cansando ou desistindo —, Edison sobreviveu a concorrentes, à impaciência de investidores e à imprensa para descobrir, em um pedaço de bambu, o poder de iluminar o mundo.

Nikola Tesla, que passou um ano frustrante no laboratório de Edison durante a invenção da lâmpada, certa vez zombou dizendo que se Edison precisasse encontrar uma agulha em um palheiro, ele "imediatamente começaria a examinar palha por palha até encontrar o objeto de sua pesquisa". Bem, às vezes esse é exatamente o método certo.

À medida que nos deparamos com obstáculos, é útil imaginar Grant e Edison. Grant com um charuto na boca. Edison de quatro no laboratório por dias seguidos. Ambos perseverantes, incorporando a fria persistência e o espírito do verso de Alfred Lord Tennyson sobre aquele outro Ulisses: "Se esforçar, buscar, encontrar." Ambos recusando-se a desistir. Repassando em suas mentes opção após opção, e testando cada uma com o mesmo entusiasmo. Sabendo que finalmente — *inevitavelmente* — uma delas haveria de funcionar. Dando as boas-vindas à oportunidade de experimentar, experimentar e experimentar, gratos pelo conhecimento inestimável que aquilo lhes revelaria.

O obstáculo em seu caminho não irá a parte alguma. Você não o superará ou o fará desaparecer com alguma epifania capaz de mudar o mundo. Você precisa olhar para aquilo — assim como para as pessoas ao seu redor, que já iniciaram seu inevitável coro de dúvidas e justificativas — e, como Margaret Thatcher, dizer: "Se quiser desistir, desista. Esta mulher aqui não é de desistir."

Muita gente pensa que grandes vitórias como as de Grant e as de Edison são fruto de um lampejo de inspiração. Que resolveram os seus problemas por meio da pura genialidade. Na verdade, foi a pressão lenta e repetida, de vários ângulos diferentes, a eliminação de tantas outras opções mais promissoras, que calma e seguramente agitaram a solução até o topo da pilha. Sua genialidade era unidade de propósito, surdez para a dúvida e o desejo de insistirem naquilo.

E daí se esse método não for tão "científico" ou "adequado" quanto os outros? O importante é que funciona.

Trabalhar nisso *funciona*. É simples assim. (Mas, novamente, não é fácil.)

No que diz respeito à maioria das situações que enfrentamos na vida, talento não é problema. Geralmente somos qualificados, bem informados e suficientemente capazes. Mas será que temos paciência para refinar as nossas ideias? Energia para bater em portas suficientes até encontrarmos investidores ou apoiadores? Persistência para laborar por meio da política e do drama que é trabalhar com um grupo de pessoas?

PRATIQUE A PERSISTÊNCIA

Depois que você começa a atacar um obstáculo, desistir não é uma opção. Isso não pode passar pela sua cabeça. Abandonar um caminho por outro que pode ser mais promissor? Claro, mas isso é muito diferente de desistir. Quando você conseguir imaginar a si mesmo desistindo de vez, é melhor jogar a toalha. Acabou.

Considere esta mentalidade:

- Nunca com pressa.
- Nunca preocupado.
- Nunca desesperado.
- Nunca largar pela metade.

Lembre-se de uma das frases favoritas de Epicteto: "Persista e resista." Persista em seus esforços. Resista a ceder à distração, ao desânimo ou à desordem.

Não há necessidade de se preocupar ou de se sentir apressado. Não há necessidade de ficar perturbado ou desesperado. Você não vai a lugar algum — você não será excluído. Você está nisso há muito tempo.

Porque quando você joga até o apito final, não há motivo para se preocupar com o cronômetro. Você sabe que não vai parar até que tudo acabe — que cada segundo disponível está à sua disposição. Portanto, contratempos temporários não são desencorajadores. São apenas solavancos no decorrer de uma longa estrada que você pretende percorrer do início ao fim.

Fazer novos projetos invariavelmente implica em obstáculos. Um novo caminho é, por definição, incerto. Somente com persistência e tempo poderemos remover os escombros e os impedimentos. Somente lutando contra os impedimentos que fizeram os outros desistirem é que alcançaremos território inexplorado — somente persistindo e resistindo saberemos o que os outros estavam impacientes demais para aprender. Desanimar é normal. O que não é normal é desistir. Saber que você quer desistir, mas insistir e seguir adiante até tomar de assalto a fortaleza impenetrável que você decidiu sitiar em sua própria vida — *isso* é persistência.

Certa vez, Edison explicou que, ao inventar, "o primeiro passo é uma intuição — e isso vem com uma explosão —, então surgem as dificuldades". O que diferencia Edison de outros inventores é a tolerância para com essas dificuldades e a constante dedicação que ele aplicou ao resolvê-las.

Em outras palavras: é difícil *mesmo*. Suas primeiras tentativas *não darão certo*. Isso exigirá muito de você, mas a energia é um bem com o qual sempre podemos contar. É um recurso renovável. Pare de procurar uma epifania e comece a buscar os pontos fracos. Pare de procurar anjos e comece a procurar ângulos. Há opções. Prepare-se para o longo prazo, experimente cada uma das possibilidades, e você chegará lá.

Quando as pessoas perguntam onde estamos, o que estamos fazendo, a quantas anda aquele "problema", a resposta deve ser clara: estamos trabalhando nisso. Estamos chegando mais perto. Em face dos contratempos, respondemos trabalhando dobrado.

INTERAJA

O que é derrota? Nada além de aprendizado; nada além dos primeiros passos para algo melhor.

— WENDELL PHILLIPS

No Vale do Silício, as startups não são lançadas como negócios resolvidos e bem estruturados. Em vez disso, lançam seu "Mínimo Produto Viável" (na sigla em inglês, MVP, Minimum Viable Product) — a versão mais básica de sua ideia central com apenas um ou dois recursos essenciais.

O objetivo é ver imediatamente a resposta dos consumidores. E, caso a resposta seja ruim, fracassar de forma barata e rápida. Para evitar fabricar ou investir em um produto que os clientes não desejam.

Como engenheiros de hoje em dia gostam de brincar: o fracasso é um recurso.

Mas isso não é brincadeira. O fracasso realmente pode ser uma vantagem se você estiver tentando melhorar, aprender ou fazer algo novo. É a característica precedente de quase todo sucesso. Não há nada de vergonhoso em errar, em mudar de curso. Cada vez que isso acontece, temos novas opções. Os problemas se transformam em oportunidades.

A velha maneira de fazer negócios — na qual as empresas adivinham o que os clientes desejam consumir com pesquisas e, em seguida, produzem esses produtos em um laboratório, isolados de feedback — reflete o medo do fracasso e é profundamente vulnerável a ele. Se o produto dispendiosamente produzido fracassar no dia do lançamento, todo aquele esforço terá sido em vão. Se tiver sucesso, ninguém saberá de fato por que ou o que foi responsável por aquele sucesso. Por outro lado, o modelo MVP inclui o fracasso e o feedback. Ele se fortalece com o fracasso, eliminando os recursos que não funcionam, que os clientes não acham interessantes o suficiente, e, em seguida, concentrando os limitados recursos dos desenvolvedores em aperfeiçoar aqueles que funcionam melhor.

Em um mundo onde cada vez mais trabalhamos por conta própria, no qual somos responsáveis por nós mesmos, faz sentido nos vermos como uma startup — uma startup de um único indivíduo.

E isso significa mudar a nossa relação com o fracasso. Significa interagir, fracassar e melhorar. Nossa capacidade de tentar, tentar e tentar está intimamente ligada à nossa capacidade e tolerância para fracassar, fracassar, fracassar.

No caminho de uma ação bem-sucedida, certamente fracassaremos — possivelmente muitas vezes. Mas tudo bem. Isso pode até ser uma coisa boa. Ação e fracasso são duas faces da mesma moeda. Uma não vem sem a outra. O que quebra essa conexão crítica é quando as pessoas param de agir — porque interpretam o fracasso da maneira errada.

Quando o fracasso vier, pergunte: *O que deu errado? O que pode ser melhorado? O que estou deixando passar?* Isso ajuda a criar maneiras alternativas de fazer o que precisa ser feito, maneiras que geralmente são muito melhores do que aquelas com as quais começamos. O fracasso o encurrala em cantos que o obrigam a pensar em como sair dali. É uma fonte de inovações.

É por isso que as histórias de grande sucesso costumam ser precedidas de um fracasso épico — porque as pessoas nele envolvidas voltaram à mesa de desenho. Eles não tinham vergonha de falhar, mas foram estimulados, pressionados por isso. Nos esportes, às vezes um azarão precisa perder por pouco para finalmente se convencer de que pode competir contra aquele adversário que o intimidou (e o derrotou) durante tanto tempo. A derrota pode ser dolorosa, mas, como disse Benjamin Franklin, também pode ser instrutiva.

Em uma empresa, geralmente não levamos os fracassos para o lado pessoal e entendemos que fazem parte do processo. Se um investimento ou um novo produto der certo, ótimo. Se fracassar, estaremos bem porque estamos preparados para isso — não investimos tudo naquela opção.

Grandes empreendedores:

- Nunca se apegam a uma posição.
- Nunca têm medo de perder um pouco de seu investimento.
- Nunca se amarguram ou se envergonham.
- Nunca ficam fora do jogo por muito tempo.

Eles escorregam diversas vezes, mas não caem.

Mesmo sabendo que existem grandes lições no fracasso — lições que vimos com os nossos próprios olhos —, repetidamente o evitamos. Fazemos tudo o que podemos para evitá-lo, pensando que isso é constrangedor ou vergonhoso. Nós fracassamos gritando e espernenando.

Mas por que eu desejaria fracassar? É doloroso.

Eu jamais afirmaria que não é doloroso. Mas será que podemos reconhecer que o fracasso temporário e antecipado certamente dói menos do que o fracasso catastrófico e permanente? Como em qualquer boa escola, aprender com o fracasso não sai de graça. A mensalidade é paga com desconforto, perdas e recomeços.

Pague o preço sem choramingar. Não haverá melhor professor para a sua carreira, para o seu livro, para o seu novo empreendimento. Há um ditado sobre o modo como o capitão de um navio irlandês localizou todas as rochas no porto: usando o fundo de sua embarcação. Qualquer recurso que faça funcionar, certo?

Lembra-se de Erwin Rommel e da rápida derrota que impôs às forças britânicas e norte-americanas no Norte da África? Há outro lado nessa história. A verdade é que as forças aliadas escolheram esse campo de batalha desvantajoso de propósito. Churchill sabia que teriam de enfrentar os alemães em algum lugar, mas tentar e perder na Europa seria desastroso para o moral.

No Norte da África, os britânicos aprenderam a lutar contra os alemães — e, logo no início, aprenderam principalmente por meio do fracasso. Mas aquilo era aceitável porque eles haviam previsto e planejado uma curva de aprendizado. Eles deram as boas-vindas àquele fracasso porque sabiam, assim como

Grant e Edison, o que significava: vitória mais adiante na estrada. Como resultado, as tropas aliadas que Hitler enfrentou na Itália eram muito melhores do que as que enfrentou na África. E as que finalmente enfrentou na França e na Alemanha eram ainda melhores.

A única maneira de não nos beneficiarmos do fracasso — de garantir que seja algo ruim — é não aprender com ele. Continuar tentando a mesma coisa indefinidamente (o que, não por acaso, é a definição de loucura). As pessoas cometem pequenos erros o tempo todo. Mas não aprendem. Não ouvem. Não veem os problemas que o fracasso expõe. Isso não as torna melhores.

Pessoas teimosas e aquelas que são resistentes a mudanças são muito egocêntricas para perceberem que o mundo não tem tempo para implorar, argumentar e convencê-las de seus erros. Graças aos seus esforços reduzidos e cabeças duras, têm muita armadura e ego para fracassarem do jeito certo.

É hora de você compreender que, a cada fracasso e ação, o mundo está lhe dizendo algo. Está lhe dando instruções precisas sobre como melhorar, está tentando acordá-lo para a sua ignorância. Está tentando lhe ensinar alguma coisa. *Ouça.*

As lições serão difíceis apenas se você se negar a ouvi-las. Não faça isso.

Ser capaz de ver e compreender o mundo dessa maneira é parte integrante da superação de obstáculos. Aqui, um negativo se torna um positivo. Transformamos o que de outra forma seria decepção em oportunidade. O fracasso nos mostra o caminho — mostrando-nos o que *não é* o caminho.

SIGA O PROCESSO

Sob a escova
o liso e o emaranhado
são a mesma coisa.

— HERÁCLITO

O treinador de futebol americano Nick Saban não fala muito a esse respeito, mas cada um de seus assistentes e jogadores segue esse conceito ao pé da letra. Eles afirmam isso por ele, tatuando-o em suas mentes e em cada ação que realizam, porque apenas duas palavras são responsáveis por seu sucesso sem precedentes: O Processo.

Saban, treinador principal do time de futebol da Universidade do Alabama — talvez a dinastia mais dominante na história do futebol universitário —, não se concentra no que todos os outros treinadores se concentram, ou, ao menos, não da maneira como eles se concentram. Saban ensina O Processo.

Não pense em ganhar o Campeonato da SEC. Não pense no campeonato nacional. Pense no que você precisa fazer neste exercício, nesta jogada, neste momento. Este é o processo: vamos pensar no que podemos fazer hoje, na tarefa em mãos.

No caos do esporte, assim como na vida, o processo nos fornece um caminho ao dizer: tudo bem, você precisa fazer algo muito difícil. Não se concentre nesse aspecto. Em vez disso, divida a tarefa em partes. Faça apenas o que você *precisa* fazer *agora*. E faça direito. Então, volte-se para a parte seguinte. Siga o processo, não o prêmio.

O caminho para vencer campeonatos consecutivos se resume a isso, uma estrada. E você atravessa uma estrada em etapas. A excelência é uma questão de etapas. Seja excelente nisso, depois naquilo, e, então, no que vier em seguida. O processo de Saban é apenas isto: existir no presente, dando um passo de cada vez, sem se distrair com mais nada. Nem com a outra equipe, nem com o placar, nem com a multidão.

O processo diz respeito a terminar. Terminar os jogos. Terminar os exercícios. Terminar as sessões de filmagem. Terminar os acabamentos. Terminar as jogadas. Terminar os bloqueios. Terminar a menor tarefa que você tiver à sua frente. E terminar bem.

Seja buscando o auge do sucesso em sua área ou simplesmente sobrevivendo a uma provação terrível ou desafiadora, a mesma abordagem funciona. Não pense no fim — pense em sobreviver. Faça isso de refeição a refeição, de pausa a pausa, de um ponto de verificação a outro, de um salário a outro, um dia de cada vez.

E, quando você realmente começar a fazer isso direito, até mesmo as tarefas mais difíceis se tornarão administráveis. Porque o processo é relaxante. Sob a sua influência, não precisamos entrar em pânico. Até mesmo as incumbências gigantescas se tornam apenas uma série de partes de um todo.

Isso foi mostrado ao grande pioneiro da meteorologia do século XIX, James Pollard Espy, em um encontro casual quando era jovem. Incapaz de ler e escrever até os 18 anos, Espy assistiu a um discurso empolgante do famoso orador Henry Clay. Após a palestra, entusiasmado, Espy tentou se aproximar de Clay, mas não conseguiu formular as palavras para conversar com o seu ídolo. Um de seus amigos gritou por ele: "Ele quer ser como você, mas não sabe ler."

Clay pegou um de seus cartazes onde havia a palavra CLAY em letras maiúsculas. Ele olhou para Espy e disse: "Está vendo isso, garoto?" apontando para uma letra. "Isso é um A. Agora, você só tem mais 25 letras para decorar."

Espy acabara de aprender o processo. Um ano depois, ele começou a cursar uma faculdade.

Eu sei que parece quase simples demais. Mas, por um segundo, imagine um mestre praticando uma arte extremamente difícil e fazendo com que aquilo pareça não exigir o menor esforço. Nenhuma tensão, nenhuma luta. Relaxado. Sem esforço ou preocupação. Apenas um movimento limpo após o outro. Isso é resultado do processo.

Nós também podemos canalizar isso. Não precisamos nos descontrolar (como costumamos nos sentir inclinados a fazer) sempre que uma tarefa difícil surgir à nossa frente. Lembra-se da primeira vez em que você viu uma equação algébrica complicada? Aquilo era uma confusão de símbolos e incógnitas. Mas, então, você parou, respirou fundo e resolveu tudo. Isolou as variáveis, resolveu-as e tudo o que restou foi a resposta.

Faça isso agora, para quaisquer obstáculos que encontrar. Podemos respirar, resolver a parte imediatamente à nossa frente — e seguir o seu fio até a próxima ação. Tudo em ordem, tudo conectado.

No que se refere às nossas ações, a desordem e a distração são fatais. A mente desordenada perde o controle do que está à sua frente — o que importa — e se distrai com pensamentos quanto ao futuro. O processo é a ordem. Ele mantém as nossas percepções sob controle e as nossas ações em sincronia.

Parece óbvio, mas nos esquecemos disso nos momentos mais importantes.

Se eu o derrubasse e o imobilizasse no chão, como você responderia? Você provavelmente entraria em pânico. Então, lutaria com todas as suas forças para me tirar de cima de você. Não funcionaria; com pouco esforço, apenas usando o peso do meu corpo, eu seria capaz de manter os seus ombros contra o chão — e você ficaria exausto de tanto lutar.

Isso é o oposto do processo.

Existe uma maneira muito mais fácil. Primeiro, não entre em pânico, preserve a sua energia. Não faça nada idiota como se sufocar por agir sem pensar. Se concentre em não piorar a situação. Erga os braços para se proteger e criar algum espaço para respirar. Então, se esforce para ficar de lado. A partir daí, comece a quebrar o meu controle sobre você: agarre um braço, prenda uma perna, balance os quadris, deslize um joelho e empurre.

Vai levar algum tempo, mas você vai conseguir se safar. A cada passo, a pessoa que está por cima é forçada a ceder um pouco, até que não haja mais nada. Então você estará livre — graças ao processo.

Estar preso é apenas uma posição, não um destino. Você se livra disso abordando e eliminando cada parte dessa posição por meio de ações pequenas e deliberadas — não tentando (e fracassando) se livrar com força sobre-humana.

Em relação aos nossos rivais comerciais, quebramos a cabeça pensando em algum novo produto arrebatador que os tornem irrelevantes e, no processo, tiramos os olhos da bola. Evitamos escrever um livro ou fazer um filme, mesmo que seja o nosso sonho, porque é muito trabalhoso — não conseguimos imaginar como chegaremos lá.

Com que frequência nos comprometemos ou concordamos porque sentimos que a solução é muito ambiciosa ou está fora de nosso alcance? Com que frequência presumimos que a mudança é impossível porque é muito grande, envolve muitos grupos diferentes ou, pior, quantas pessoas ficam paralisadas por suas ideias e inspirações? Elas correm atrás de todas e não chegam a lugar algum, distraindo-se e nunca avançando. Elas são brilhantes, com certeza, mas raramente realizam algo. Raramente chegam aonde querem e precisam chegar.

Todos esses problemas podem ser resolvidos. Todos entrariam em colapso ao serem submetidos ao processo. Contudo, erroneamente presumimos que a solução precisa ocorrer de uma vez e desistimos só de pensar naquilo. Pensamos de A a Z, preocupados com A, obcecados por Z, mas nos esquecendo de tudo entre B e Y.

Queremos ter objetivos, sim, de modo que tudo aquilo que fizermos esteja a serviço de algum propósito. Quando sabemos o que realmente pretendemos fazer, os obstáculos que surgem tendem a parecer menores, mais administráveis. Quando não sabemos, cada obstáculo se torna maior e parece impossível de superar. As metas ajudam a colocar as dificuldades em sua devida proporção.

Quando nos distraímos, quando começamos a nos importar com algo diferente de nossos próprios esforços e progresso, o processo é a voz útil, embora ocasionalmente tirânica, em nossa mente. É a ordem do líder sábio e mais velho que sabe exatamente quem ele é e o que deve ser feito: *Calem a boca. Voltem para os seus postos e tentem pensar no que vamos fazer em vez de se preocuparem com o que está acontecendo lá fora. Vocês sabem qual é o seu trabalho. Parem de reclamar e mãos à obra.*

O processo é a voz que exige que assumamos responsabilidade e propriedade. Isso nos incita a *agir*, mesmo que apenas timidamente.

Como uma máquina implacável, subjugando a resistência aos poucos, em todas as formas sob as quais ela se manifeste. Seguindo em frente, um passo de cada vez. Subordine a força ao processo. Substitua o medo pelo processo. Dependa disso. Apoie-se nisso. Confie nisso.

Vá devagar, não se apresse. Alguns problemas são mais difíceis do que outros. Enfrente primeiro os que estão à sua frente. Volte aos outros mais tarde. Você chegará lá.

O processo consiste em dar os passos certos, agora mesmo. Não se preocupando com o que pode acontecer depois, com os resultados ou com o quadro geral.

FAÇA O SEU TRABALHO, E O FAÇA DIREITO

Tudo o que é feito corretamente, por mais humilde que seja, é nobre. (*Quidvis recte factum quamvis humile praeclarum.*)

— SIR HENRY ROYCE

Muito tempo depois de seu começo humilde, o presidente Andrew Johnson falaria com orgulho de sua carreira como alfaiate antes de entrar para a política. "Minhas roupas nunca rasgavam ou cediam", dizia ele.

Certa vez, durante a campanha, quando um opositor tentou envergonhá-lo mencionando que ele era originário da classe trabalhadora, Johnson respondeu sem titubear: "Isso não me desconcerta nem um pouco. Quando eu era alfaiate, tinha a reputação de ser um bom profissional, sempre pontual com meus clientes e sempre fazendo um bom trabalho."

Em 1851, outro presidente, James Garfield, conseguiu pagar seu ensino superior persuadindo o Western Reserve Eclectic Institute a deixá-lo ser zelador da escola como pagamento das mensalidades. Ele fazia esse trabalho com um sorriso no rosto e sem a menor vergonha. Todas as manhãs, ele tocava o sino da torre da universidade para anunciar o início das aulas — embora seu dia de trabalho tivesse começado muito antes disso — e ia para a sala de aula com alegria e entusiasmo.

Apenas um ano depois, ele já era professor da faculdade — cumprindo uma carga horária completa, além de dar seguimento aos seus estudos. Por volta do vigésimo sexto aniversário, ele se tornou reitor da instituição.

Isso é o que acontece quando você faz o seu trabalho — seja qual for — e o faz bem-feito.

Esses homens passaram da pobreza humilde ao poder, sempre fazendo o que lhes fora pedido — e fazendo direito e com verdadeiro orgulho. E fazendo isso melhor do que ninguém. Na verdade, fazendo-o bem porque ninguém mais queria fazer.

Às vezes, no caminho que seguimos ou no lugar onde queremos estar, precisamos fazer tarefas que preferíamos não fazer. Quando começamos em nossos primeiros empregos frequentemente "nos apresentam a vassoura", como mencionou Andrew Carnegie. Não há nada de vergonhoso no ato de varrer. É apenas mais uma oportunidade de se destacar — e aprender.

Mas você está tão ocupado pensando no futuro que não se orgulha das incumbências que recebe agora. Você apenas empurra com a barriga, desconta o seu cheque de pagamento e sonha com uma posição superior na vida. Ou pensa: *Isso é apenas um trabalho, não é quem eu sou, não importa.*

Idiotice.

Tudo o que fazemos é importante — seja preparando vitaminas em uma lanchonete enquanto economiza dinheiro ou estudando para passar no exame da ordem dos advogados — mesmo depois de você já ter alcançado o sucesso que buscava.

Tudo é uma chance de ser e fazer o seu melhor. Apenas idiotas egocêntricos pensam que são bons demais para o que quer que a sua posição atual exija.

Onde quer que estejamos, o que quer que estejamos fazendo e para onde quer que estejamos indo, devemos fazer o trabalho direito, por nós mesmos, por nossa arte, pelo mundo. Esse é o nosso dever principal. E a nossa obrigação. Quando a nossa prioridade é a ação, a vaidade desaparece.

Um artista recebe várias encomendas diferentes durante a vida. O importante é que ele trate cada uma como prioridade. Se aquele é o trabalho mais glamoroso ou o mais bem pago é irrelevante. Cada projeto é importante, e a única parte humilhante seria ele dar menos do que é capaz de dar.

O mesmo vale para nós. Seremos e faremos muitas coisas em nossa vida. Algumas serão prestigiosas, outras onerosas, mas nenhuma está abaixo de nós. Seja lá o que enfrentemos, nosso dever é responder com:

- Trabalho duro.
- Honestidade.
- Ajudando os outros da melhor forma que podemos.

Você nunca deveria precisar se perguntar: *Mas o que devo fazer agora?* Porque você sabe a resposta: o seu trabalho.

Se alguém percebe, se somos pagos para isso, se o projeto é bem-sucedido, isso não importa. Podemos e sempre devemos agir com essas três qualidades, não importando o obstáculo.

Nunca haverá obstáculos que possam realmente nos impedir de cumprir as nossas obrigações — é claro que há desafios mais difíceis ou menos difíceis, mas nunca impossíveis. Cada tarefa exige o nosso melhor. Quer estejamos enfrentando falência, clientes furiosos ou juntando dinheiro e decidindo como crescer a partir dali, se fizermos o nosso melhor, podemos nos orgulhar de nossas escolhas e confiarmos que são as escolhas certas. Porque fizemos o nosso trabalho — seja qual for.

Sim, sim, eu entendo. A palavra "obrigação" soa sufocante e opressiva. Você quer ser capaz de fazer o que quiser.

Mas o dever é lindo, inspirador e fortalecedor.

Steve Jobs se preocupava até mesmo com o interior de seus produtos, certificando-se de que fossem lindamente projetados, mesmo que os usuários nunca os vissem. Quem o ensinou a pensar como um artesão foi o seu pai, que aplicava acabamento até mesmo na parte de trás de seus armários, embora ficassem escondidas contra a parede. Em todos os dilemas de design, Jobs sabia qual era a prerrogativa: respeite o seu ofício e faça algo belo.

É claro que cada situação é diferente. Não estamos inventando o próximo iPad ou iPhone, mas estamos fazendo algo para alguém — mesmo que seja apenas o nosso próprio currículo. Podemos tratar cada parte — especialmente aquele trabalho que ninguém vê, as tarefas difíceis que queríamos evitar ou das quais poderíamos escapar — da mesma forma que Jobs: com orgulho e dedicação.

O grande psicólogo Viktor Frankl, sobrevivente de três campos de concentração, via prepotência na antiga questão: "Qual é o sentido da vida?" Como se fosse responsabilidade de outra pessoa lhe dizer isso. Na verdade, afirmou: é o mundo que está fazendo essa pergunta para *você*. E é seu trabalho respondê-la com as suas ações.

Em todos os momentos, a vida nos faz uma pergunta e nossas ações são a resposta. Nosso trabalho é simplesmente responder bem.

A ação correta — altruísta, dedicada, magistral, criativa — é a resposta a essa pergunta. Essa é uma maneira de encontrar o sentido da vida e transformar cada obstáculo em uma oportunidade.

Se você vê a atividade como um fardo, você está olhando da maneira errada.

Porque tudo o que precisamos fazer são esses três pequenos deveres: tentar com afinco, ser honesto e ajudar os outros e a nós mesmos. Isso é tudo o que nos é pedido. Nem mais nem menos.

Claro, o objetivo é importante. Mas nunca se esqueça de que cada instância individual também é importante — cada uma é um instantâneo do todo. O todo não é certo, apenas as instâncias o são.

O modo como você faz uma tarefa é como você pode fazer todas as outras.

Sempre podemos agir corretamente.

CERTO É AQUILO QUE FUNCIONA

O pepino está amargo? Então jogue-o fora.
Há espinhos no caminho? Então dê a volta.
Isso é tudo o que você precisa saber.

— MARCO AURÉLIO

Em 1915, nas profundezas das selvas da América do Sul, o conflito crescente entre duas empresas rivais norte-americanas produtoras de frutas chegou ao auge. Cada uma desejava desesperadamente adquirir os mesmos dois mil hectares de terras.

O problema? Dois habitantes locais alegavam possuir a escritura daquela plantação. Na terra de ninguém entre Honduras e Guatemala, nenhuma das empresas foi capaz de descobrir quem era o legítimo proprietário para que pudessem comprar a propriedade.

O modo como cada empresa respondeu a esse problema foi definido por sua organização e filosofia. Uma empresa era grande e poderosa; a outra, astuta e engenhosa. A primeira, uma das corporações mais poderosas dos Estados Unidos: a United Fruit. A segunda, uma pequena empresa recém-criada do proprietário Samuel Zemurray.

Para resolver o problema, a United Fruit enviou uma equipe de poderosos advogados. Eles saíram em busca de cada arquivo e pedaço de papel daquele país, dispostos a pagar o que fosse para vencer a disputa. Dinheiro, tempo e recursos não eram problema.

Zemurray, o competidor mais humilde e sem instrução, estava em desvantagem, certo? Ele não conseguiria jogar o jogo do adversário. Então, ele não jogou. Flexível, fluido e desafiador, ele apenas se encontrou separadamente com os dois supostos proprietários e comprou o terreno de cada um deles. Ele pagou duas vezes, é claro, mas *resolveu* o problema. A terra era dele. Esqueça o livro de regras, solucione a questão.

Isso é *pragmatismo* personificado. Não se preocupe com a maneira "certa", preocupe-se com a maneira *certa*. É assim que resolvemos os impasses.

Zemurray sempre tratou os obstáculos dessa forma. Ao saber que não poderia construir uma ponte da qual precisava para atravessar o rio Utila — porque funcionários do governo foram subornados por concorrentes para tornar as pontes ilegais —, Zemurray mandou os seus engenheiros construírem em cada margem dois longos cais que chegavam quase até o meio do rio. Quando necessário, eles uniam ambos os cais com uma plataforma flutuante temporária que podia ser montada e lançada em questão de horas para conectá-los à outra margem. Havia ferrovias em cada margem do rio, que seguiam na direção oposta. Quando a United Fruit reclamou, Zemurray riu e respondeu: "Ora, isso não é ponte. São apenas dois pequenos e velhos cais."

Às vezes você faz isso *desse* jeito. Às vezes faz *daquele*. Não aplicando as táticas que aprendeu na escola, mas adaptando-as para se adequarem a cada situação. De algum jeito que *funcione* — esse é o lema.

Passamos muito tempo pensando em como as coisas devem ser ou o que as regras dizem que devemos fazer. Tentando deixar tudo perfeito. Dizemos para nós mesmos que começaremos a trabalhar assim que as condições forem adequadas ou quando tivermos certeza de que podemos confiar nisso ou naquilo. Quando, realmente, seria melhor nos concentrarmos em trabalhar com o que temos. Em focar os resultados em vez de belos métodos.

Como costumam dizer no jiu-jítsu brasileiro: no fim das contas, não importa como você joga os seus oponentes no chão, desde que os derrube.

O que Zemurray nunca perdeu de vista foi a missão: transportar bananas até o outro lado do rio. Se era uma ponte ou dois cais com uma plataforma no meio não importava, contanto que levasse a carga até onde precisava ir. Quando ele queria plantar bananas em um lugar específico, não era importante encontrar o legítimo proprietário da terra, mas se *tornar* o legítimo proprietário.

Você tem a sua missão, seja ela qual for. Assim como o restante de nós, para realizá-la você se vê dividido entre a maneira como gostaria que a realidade fosse e a maneira como de fato é (o que sempre parece ser um desastre). Até onde você está disposto a ir? O que você está disposto a fazer a respeito?

Elimine a reclamação. Chega de conversa fiada. Nada de se submeter à impotência ou ao medo. Você não pode simplesmente correr para baixo da saia da mamãe. Como resolverá esse problema? Como contornará as regras que o detêm?

Talvez você precise ser um pouco mais ardiloso ou calculista do que se sente confortável. Às vezes, isso requer ignorar alguns regulamentos desatualizados ou pedir perdão à gerência mais tarde em vez de pedir permissão agora (que lhe seria negada). Mas se você tem uma missão importante, tudo o que importa é que a cumpra.

Aos 21 anos, Richard Wright não era o autor mundialmente famoso que viria a se tornar. Embora pobre e negro, ele decidiu que queria ler e que ninguém poderia impedi-lo. Ele invadiu a biblioteca e fez uma cena? Não, não no Sul norte-americano racista de Jim Crow. Em vez disso, elaborou um bilhete que dizia: "Cara senhora: por favor, deixe esse negrinho pegar alguns livros escritos por H. L. Mencken?" (porque ninguém se referiria assim a respeito de si mesmo, certo?), e os retirava com um cartão de biblioteca roubado, fingindo que os livros eram para outra pessoa.

Em situações extremas, é melhor você estar disposto a quebrar as regras ou fazer algo desesperado ou fora do padrão. Desprezar as autoridades e dizer: *O quê? Isso não é uma ponte. Eu não sei do que você está falando.* Ou, em alguns casos, mostrar o dedo médio para as pessoas que tentam detê-lo e ignorar suas regras perversas e revoltantes.

Pragmatismo é mais flexibilidade do que realismo. Existem várias maneiras de ir do ponto A ao ponto B. Não precisa ser uma linha reta, desde que o leve até onde você precisa ir. Mas muitos de nós gastamos tanto tempo procurando a solução perfeita que deixamos passar o que está bem à nossa frente.

Como disse Deng Xiaoping certa vez: "Não me importa se o gato é preto ou branco, desde que cace ratos."

Os estoicos tinham o seu próprio lembrete: "Não espere a República de Platão."

Porque você nunca encontrará esse tipo de perfeição. Em vez disso, faça o melhor que pode com aquilo que tem. O pragmatismo não está inerentemente em desacordo com o idealismo ou com o progresso. O primeiro iPhone foi revolucionário, mas, mesmo assim, foi lançado sem o recurso de copiar e colar e diversos outros recursos que a Apple gostaria de ter incluído nele. Steve Jobs, o suposto perfeccionista, sabia que, em algum momento, é preciso se comprometer. O que importa é que você fez o que tinha de ser feito e *funcionou*.

Comece a pensar como um pragmático radical: ambicioso, agressivo e baseado em ideais, mas também eminentemente prático e orientado pelo que é possível. Não focado em tudo o que você gostaria de ter, não preocupado em mudar o mundo agora mesmo, mas ambicioso o suficiente para conseguir tudo aquilo de que você *precisa*. Não pense pequeno, mas faça a distinção entre o que é crítico e o que é suplementar.

Pense em progresso, não em perfeição.

Sob esse tipo de força, os obstáculos se desfazem. Não lhes resta escolha. Uma vez que você os contorne ou os torne irrelevantes, não há como resistirem.

EM LOUVOR AO ATAQUE DE FLANCO

Quem não é capaz de buscar
o imprevisível nada vê,
pois o caminho conhecido
é um impasse.

— HERÁCLITO

Na tradição norte-americana, a imagem popular de George Washington é a de um general corajoso e ousado, superior a tudo que o cercava, repelindo os tirânicos invasores britânicos. Claro, a verdadeira imagem é um pouco menos gloriosa. Washington não era um guerrilheiro, mas estava perto disso. Ele era astuto, evasivo e frequentemente se recusava a lutar.

Seu exército era pequeno, frágil, mal treinado e tinha poucos suprimentos. A guerra que travou era principalmente defensiva, evitando deliberadamente as grandes formações de tropas britânicas. Apesar de toda a retórica, a maioria de suas manobras era minúscula contra um inimigo maior e mais forte. Bata e corra. Provoque e se movimente.

Nunca ataque onde é óbvio, dizia Washington aos seus homens. Não ataque como o inimigo espera que você ataque.

"Onde o perigo não é esperado, mais o inimigo estará despreparado e, consequentemente, haverá maior possibilidade de sucesso." Ele tinha uma forte noção de quais pequenos combates se pareceriam com importantes vitórias.

Sua "vitória" mais gloriosa não foi nem mesmo uma batalha direta contra os britânicos. Em vez disso, quase no limite de suas possibilidades, Washington cruzou o rio Delaware na madrugada do dia de Natal para atacar um grupo de mercenários alemães adormecidos que podiam ou não estar embriagados.

Na verdade, ele era melhor em se retirar do que em avançar — hábil em preservar tropas que, de outra forma, teriam sido perdidas na derrota. Washington raramente era emboscado — ele sempre tinha uma saída. Na esperança de cansar o inimigo, essa estratégia evasiva era uma arma poderosa, embora não fosse muito glamorosa.

Daí que não é surpreendente que, como general do Exército Continental e primeiro presidente do país, seu legado tenha sido um tanto embelezado. E ele não é o único general pelo qual fizemos isso. O grande mito histórico, propagado por filmes e narrativas e pela nossa própria ignorância, é que as guerras são vencidas e perdidas por dois grandes exércitos que lutam frente a frente. É uma noção dramática e corajosa — mas também muito, muito errada.

Em um estudo de cerca de trinta conflitos compreendendo mais de 280 campanhas da história antiga à moderna, o brilhante estrategista e historiador B. H. Liddell Hart chegou a uma conclusão surpreendente: em apenas seis das 280 campanhas, a vitória decisiva foi resultado de um ataque direto ao exército inimigo.

Apenas seis. Ou seja, 2%.

Mas se não nas batalhas campais, onde encontramos a vitória?

Em todos os outros lugares. Nos flancos. No inesperado. No psicológico. No tirar os oponentes de suas posições de defesa. No não tradicional. Em qualquer coisa, *menos...*

Como Hart escreve em sua obra-prima *Strategy*:

> *[O] Grande Capitão adotará até mesmo a abordagem indireta mais arriscada — se necessário em montanhas, desertos ou pântanos, com apenas uma fração de suas forças, até mesmo se desligando de suas comunicações. Enfrentará, de fato, todas as condições desfavoráveis em vez de aceitar o risco de um impasse provocado pela abordagem direta.*

Quando estiver no limite, dando tudo de si, quando as pessoas disserem que parece que você pode estourar uma veia...

Dê um passo atrás e, então, contorne o problema. Encontre alguma vantagem. Aproxime-se daquilo que é chamado de "linha de menor expectativa".

Qual a sua primeira reação instintiva quando confrontado com um desafio? Seria superar a concorrência? Discutir com as pessoas na tentativa de mudar opiniões arraigadas? Você tenta irromper pela porta da frente? Porque a porta dos fundos, as portas laterais e as janelas podem estar escancaradas.

O que quer que você esteja fazendo, será mais difícil (para não dizer impossível) se o seu plano incluir desafiar a física ou a lógica. Em vez disso, pense em Grant ao perceber que deveria contornar Vicksburg — não atacá-la diretamente — a fim de capturá-la. Pense em Phil Jackson, treinador integrante do Hall da Fama, e seu famoso triângulo de ataque, que foi projetado para automaticamente direcionar a bola de basquete *para longe* da pressão defensiva, em vez de atacá-la diretamente.

Se estivermos começando do zero e os jogadores titulares tiverem tempo para armar as suas defesas, simplesmente não haverá como vencê-los em seus pontos fortes. Portanto, é mais inteligente nem mesmo tentar, mas concentrar os nossos limitados recursos em outro lugar.

Parte do motivo pelo qual certa habilidade parece tão fácil para os grandes mestres não é apenas porque eles dominaram o processo — na verdade, eles estão fazendo menos do que o restante de nós. Eles optam por exercer apenas força calculada onde esta será eficaz, em vez de se esforçar e lutar usando inúteis táticas de atrito.

Como alguém disse certa vez após lutar contra Jigoro Kano, o lendário fundador do judô de um metro e meio de altura: "Tentar lutar contra Kano era como tentar lutar contra um quimono vazio!"

Esse pode ser você.

Estar em menor número, vindo de trás, com poucos recursos, isso não precisa ser uma desvantagem. Pode ser uma dádiva. Ativos que nos tornam menos propensos a cometermos suicídio em um ataque frontal. Esses desafios nos *obrigam* a ser criativos, a encontrar soluções alternativas, a sublimar o ego e a fazer qualquer coisa para vencer, em vez de desafiar os nossos inimigos onde eles são mais fortes. Esses são os sinais que nos dizem para nos aproximarmos em ângulo oblíquo.

Na verdade, ter vantagem em tamanho, força ou poder costuma ser a origem de verdadeira e fatal fraqueza. A inércia do sucesso em muito dificulta o verdadeiro desenvolvimento de uma boa técnica. Pessoas ou empresas que têm essa vantagem de tamanho não precisam aprender o processo, já que puderam contar com a força bruta. E isso funciona para eles... até não funcionar mais. Até encontrá-lo e você os superar rapidamente com manobras hábeis e oblíquas, ao se recusar a enfrentá-los no único cenário que eles conhecem: frente a frente.

Estamos no jogo de Davi contra Golias. Portanto, a Força não pode tentar igualar a Força.

É claro que, quando pressionado, o instinto natural é sempre o de revidar. Mas as artes marciais nos ensinam que devemos ignorar tal impulso. Não podemos revidar, precisamos *puxar para trás* até que os oponentes percam o equilíbrio. Então, fazemos o nosso movimento.

A arte da estratégia da porta lateral, ou ataque de flanco, é um espaço vasto e criativo. E de forma alguma se limita às guerras, negócios ou vendas.

O grande filósofo Søren Kierkegaard raramente procurava convencer as pessoas diretamente a partir de uma posição de autoridade. Em vez de dar palestras, ele praticava um método que chamou de "comunicação indireta". Kierkegaard escrevia sob pseudônimos, e cada falsa personalidade incorporava uma plataforma ou perspectiva diferente — escrevendo várias vezes sobre o mesmo assunto a partir de vários ângulos diversos para transmitir o seu ponto de maneira dramática e emocional. Ele raramente dizia ao leitor "faça isso" ou "pense aquilo". Em vez disso, mostrava novas maneiras de ver ou compreender o mundo.

Você não convence as pessoas desafiando as suas opiniões mais firmes e arraigadas. Você encontra um terreno comum e trabalha a partir dali. Ou busca uma maneira de fazê-los ouvir. Ou cria uma alternativa com tanto apoio de outras pessoas que a oposição voluntariamente abandona os seus próprios pontos de vista e passa a apoiá-lo.

O modo que funciona nem sempre é o mais impressionante. Às vezes, parece que você está cortando caminho ou sendo desleal. Há muita pressão para se igualar aos outros, movimento por movimento, como se o fato de se ater àquilo que funciona para você seja algum tipo de trapaça. Deixe-me poupá-lo da culpa e do autoflagelo: não é.

Você está agindo como um verdadeiro estrategista. Não está apenas impondo o seu poder e esperando que isso funcione. Você não está desperdiçando a sua energia em batalhas movidas pelo ego e pelo orgulho, em vez de vantagem tática.

Acredite ou não, *essa* é a maneira mais difícil. É por isso que funciona.

Lembre-se de que às vezes a volta mais longa é o caminho mais curto para casa.

USE OS OBSTÁCULOS CONTRA ELES MESMOS

> Os sábios são capazes de usar adequadamente até mesmo as suas inimizades.
>
> — PLUTARCO

Gandhi não lutou pela independência da Índia. O Império Britânico se encarregou de todas as batalhas — e, por acaso, de todas as derrotas.

Isso foi deliberado, é claro. A extensa campanha da *satyagraha** e a desobediência civil de Gandhi mostraram que a *ação* tem várias definições e nem sempre se move para a frente ou, mesmo, de lado. Também pode ser uma questão de atitude. Pode ser uma questão de assumir uma posição.

Às vezes, você supera os obstáculos não atacando-os, mas recuando e deixando que o ataquem. Você pode usar as ações dos outros contra eles, em vez de agir.

Fraco em comparação com as forças que esperava mudar, Gandhi se apoiou nessa fraqueza, exagerou-a, se expôs. Ele

---
* Do hindu, "insistir pela verdade". (N. do T.)

disse à força de ocupação mais poderosa do mundo: *Estou a caminho do mar para buscar sal, em violação direta às suas leis.* Ele os estava provocando: *O que vocês farão a respeito? Não estamos fazendo nada de errado* — sabendo que isso colocava as autoridades frente a um dilema impossível: aplicar uma política falida ou abdicar. Dentro dessa estrutura, a enorme força militar é neutralizada. Seu próprio uso é contraproducente.

Seguindo os passos de Gandhi, Martin Luther King Jr. disse aos seus seguidores que eles encontrariam "força física com a força da alma". Em outras palavras, usariam o poder dos opostos. Diante da violência, eles permaneceriam em paz; ao ódio, eles responderiam com amor — e, no processo, exporiam tais atributos como malignos e indefensáveis.

Os opostos funcionam. A inação pode ser a ação. Ela usa o poder dos outros e nos permite absorver o seu poder como se fosse nosso. Permitindo que estes — ou o obstáculo — façam o trabalho para nós.

Basta perguntar aos russos, que derrotaram Napoleão e os nazistas sem protegerem rigidamente as suas fronteiras, mas recuando para o interior e deixando o inverno fazer o trabalho contra o inimigo, atolado em batalhas longe de casa.

Isso é uma ação? Pode apostar que sim.

Talvez o seu inimigo ou obstáculo seja realmente intransponível — como era para muitos desses grupos. Talvez, nesse caso, você nao tenha a capacidade de vencer por meio do atrito (persistência) ou não queira arriscar aprender no trabalho (interagindo). Tudo bem. Você ainda está muito longe de precisar desistir.

No entanto, é hora de reconhecer que algumas adversidades podem ser impossíveis de superar — não importando o quanto você tente. Em vez disso, você deve encontrar uma maneira de usar a adversidade, a sua *energia*, para ajudar a si mesmo.

Antes da invenção da energia a vapor, os capitães de barco tinham uma maneira engenhosa de derrotar a forte correnteza do rio Mississippi. Um barco subindo o rio encostava ao lado de um barco prestes a descer e, depois de enrolar uma corda em uma pedra ou árvore, os barcos se atrelavam uns nos outros. O segundo barco se soltava e deixava a corrente levá-lo rio abaixo, puxando o outro barco rio acima.

Portanto, em vez de lutar contra os obstáculos, encontre um meio de *fazê-los derrotar a si mesmos*.

Há uma história famosa de Alexandre, o Grande, fazendo exatamente isso — e foi seu uso magistral de um obstáculo contra si mesmo que deu aos observadores a primeira pista de que o ambicioso adolescente poderia vir a conquistar o mundo. Quando jovem, ele domou seu famoso cavalo Bucéfalo — o cavalo que nem mesmo seu pai, o rei Filipe II da Macedônia, foi capaz de domar — cansando-o. Enquanto outros tentaram a força bruta, chicotes e cordas, apenas para serem derrubados, Alexandre foi bem-sucedido ao montá-lo delicadamente, apenas se segurando até que o cavalo se acalmasse. Exausto, Bucéfalo não teve alternativa senão se submeter à influência de seu cavaleiro. Nos vinte anos seguintes, Alexandre cavalgaria para as batalhas montando esse cavalo fiel.

E quanto aos seus obstáculos?

Sim, às vezes precisamos seguir o exemplo de Amelia Earhart e simplesmente agir. Mas também precisamos estar prontos para ver que o *comedimento* pode ser a melhor ação a ser tomada. Às vezes, você precisa ser paciente — esperar que os obstáculos temporários desapareçam. Deixar que dois egos em conflito se acertem em vez de entrar imediatamente na briga. Às vezes, um problema precisa *menos* de você — de menos pessoas — e não de mais.

Quando queremos demais alguma conquista, podemos ser os nossos piores inimigos. Em nossa ânsia, espanamos o parafuso que queremos apertar e tornamos impossível obter aquilo que desejamos. Rodamos os nossos pneus na neve ou na lama e escavamos um sulco ainda mais profundo do qual jamais sairemos.

Ficamos tão obcecados em seguir em frente que esquecemos que existem outras maneiras de chegar ao nosso destino. Não nos ocorre naturalmente que ficar parado — ou, em alguns casos, até mesmo retroceder — pode ser a melhor maneira de avançar. Não faça nada por fazer, fique onde está!

Nós pressionamos e pressionamos — para conseguirmos um aumento, um novo cliente, para evitarmos alguma exigência. Na verdade, a melhor maneira de conseguir o que queremos pode ser reexaminando tais desejos antes de qualquer ação. Ou pode ser buscando algo totalmente diferente e usando o obstáculo como oportunidade para explorar uma nova direção. Ao fazer isso, podemos acabar criando um novo empreendimento que completará nossa renda insuficiente. Ou perceber que, ao ignorar os clientes, nós os atraímos — descobrindo que querem trabalhar com alguém que não esteja tão interessado em trabalhar com eles. Ou repensando aquele desastre que tememos (e a todos os demais) e descobrindo uma maneira de lucrar com ele quando (e se) acontecer.

Presumimos erroneamente que seguir em frente é a única maneira de progredir, a única maneira de vencer. Às vezes, ficar parado, mover-se para o lado ou retroceder é, na verdade, a melhor maneira de eliminar o que bloqueia ou impede o seu caminho.

É necessária uma certa humildade na abordagem. Isso quer dizer aceitar que a maneira como você deseja fazer as coisas não é possível. Você simplesmente não conseguiria fazê-las da maneira "tradicional". Mas e daí?

O que importa é se uma determinada abordagem o leva aonde você quer ir. E, sejamos claros, usar obstáculos contra eles mesmos é muito diferente de não fazer nada. A resistência passiva é, de fato, incrivelmente ativa. Mas tais ações vêm na forma de disciplina, autocontrole, coragem, determinação e estratégia.

O grande estrategista Saul Alinsky acreditava que, se você "pressionar algo negativo com força e profundidade suficientes, isso irromperá do lado oposto". Todo positivo tem o seu negativo. Todo negativo tem o seu positivo. A *ação* está em forçar até o fim — até o outro lado. Transformar o negativo em positivo.

Isso deve ser um grande consolo. Significa que poucos obstáculos são grandes demais para nós. Porque essa grandeza pode, de fato, ser uma vantagem. Porque podemos usar essa grandeza contra o próprio obstáculo. Lembre-se: um castelo pode ser uma fortaleza impenetrável e intimidadora, ou pode se transformar em uma prisão quando cercado. A diferença é simplesmente uma mudança na ação e na abordagem.

Podemos usar as forças que nos bloqueiam em nosso benefício, permitindo que façam o trabalho pesado por nós. Às vezes, isso significa deixar o obstáculo como está em vez de tentar mudá-lo.

Quanto mais Bucéfalo corria, mais ele se cansava. Quanto mais cruel for a resposta da polícia à desobediência civil, mais simpática se torna a sua causa. Quanto mais eles lutam, mais fácil se torna. Quanto mais você luta, menos você conseguirá (afora a exaustão).

O mesmo ocorre com os nossos problemas.

CANALIZE A SUA ENERGIA

Quando perturbado pela força das circunstâncias, volte depressa para si mesmo e não afrouxe o ritmo mais do que o necessário, porque você será mais senhor da harmonia quanto mais frequentemente voltar a ela.

— MARCO AURÉLIO

Como tenista, Arthur Ashe era uma bela contradição. Para sobreviver à segregação nas décadas de 1950 e 1960, aprendeu com o pai a mascarar suas emoções e sentimentos em quadra. Sem reação, sem se abalar com saques perdidos e sem reclamar dos erros da arbitragem. Sendo um jogador negro, ele certamente não podia se dar ao luxo de se exibir, comemorar ou deixar transparecer que estava se esforçando demais.

Mas a sua verdadeira forma e estilo de jogo eram bem diferentes. Toda a energia e emoção que ele precisava suprimir eram canalizadas para uma forma de jogo ousada e graciosa. Enquanto seu rosto estava controlado, seu corpo estava vivo — fluido, brilhante e ocupando toda a quadra. Seu estilo é melhor descrito no epíteto que ele criou para si mesmo: "Fisicamente relaxado e mentalmente tenso."

Para Arthur Ashe, essa combinação criou uma forma quase imbatível de se jogar tênis. Como pessoa, controlava as suas emoções, mas, como jogador, era fanfarrão, ousado e confiante. Ele mergulhava em busca das bolas e as rebatia de um jeito que deixava os adversários boquiabertos. Ele era capaz de fazer isso porque estava livre. Estava livre onde importava: dentro de si mesmo.

Outros jogadores, livres para comemorar, livres para fazer birra ou olhar de cara feia para os árbitros e adversários, não pareciam capazes de lidar com a pressão dos jogos decisivos como Ashe lidava. Eles frequentemente acreditavam que Ashe era desumano, contido. É claro que os sentimentos precisam de uma válvula de escape, mas Ashe os externava alimentando a sua velocidade explosiva, suas táticas e movimentos. Não havia nada de prudente no desprendimento com o qual jogava.

A adversidade pode emperrá-lo. Ou pode soltá-lo e torná-lo melhor — se você permitir.

Renomeie-a e a reivindique. Foi o que Ashe fez — assim como muitos outros atletas negros. O boxeador Joe Louis, por exemplo, sabia que os fãs de boxe brancos e racistas não tolerariam um lutador negro temperamental, então escondia todas as demonstrações de sentimento por trás de um rosto impassível. Conhecido como Robô do Ringue, intimidava os oponentes ao parecer quase desumano. Ele pegava uma desvantagem e a transformava em um trunfo inesperado.

Todos nós temos que lidar com as nossas próprias restrições — regras e normas sociais que somos obrigados a observar e que preferiríamos não seguir. Códigos de vestuário, protocolos, procedimentos, obrigações legais e hierarquias corporativas que nos dizem como devemos nos comportar. Pense muito a esse respeito e isso pode começar a parecer opressivo, até mesmo sufocante. Se não tomarmos cuidado, isso provavelmente nos tirará do jogo.

Em vez de ceder à frustração, podemos fazer bom uso dela. Ela impulsiona as nossas ações, que, ao contrário de nossa disposição, se tornam mais fortes e melhores quando soltas e ousadas. Enquanto outros ficam obcecados em observar as regras, nós as estamos minando sutilmente e subvertendo-as em nosso proveito. Pense na água. Quando represada por um obstáculo feito pelo homem, esta não fica simplesmente estagnada. Em vez disso, sua energia é armazenada e distribuída, abastecendo usinas que alimentam cidades inteiras.

Toussaint Louverture, um ex-escravo haitiano que se tornou general, exasperou tanto os seus inimigos franceses que estes certa vez comentaram: *Cet homme fait donc l'ouverture partout* ("Esse homem consegue aberturas em toda parte"). Ele era tão fluido, tão incontido, que, na verdade, recebeu o apelido de Louverture, que significa "a abertura". Faz sentido. Tudo em sua vida fora um obstáculo, e ele transformou o máximo de experiências que pôde em aberturas. Por que as tropas, a política, as montanhas ou o próprio Napoleão deveriam ser diferentes?

Ainda assim, ficamos arrasados quando o projetor de PowerPoint não funciona (em vez de colocá-lo de lado e fazer uma palestra empolgante e sem anotações). Espalhamos fofocas entre os nossos colegas de trabalho (em vez de digitarmos algo produtivo em nossos teclados). Nós encenamos em vez de *agirmos*.

Mas pense em um atleta colocando todo mundo no bolso, focado, acertando todos os lances e os obstáculos aparentemente intransponíveis que surgem diante desse estado sem esforço. Enormes déficits entram em colapso, cada passe ou arremesso atinge o alvo pretendido, a fadiga se esvai. Esses atletas podem ser impedidos de realizar esta ou aquela ação, mas não de alcançar o seu objetivo. Fatores externos influenciam o caminho, mas não a direção: para a frente.

Quais contratempos em nossa vida poderiam resistir a esse domínio elegante, fluido e poderoso?

Ser física e mentalmente relaxado não exige talento. Isso é apenas imprudência. (Queremos a ação certa, não ação e *ponto final*.) Estar física e mentalmente tenso? Isso se chama ansiedade. Também não funciona. Acabamos estourando. Mas relaxamento físico combinado com contenção mental? Isso é poderoso.

É um poder que enlouquece os nossos adversários e opositores. Eles acham que estamos brincando com eles. É enlouquecedor — como se nem estivéssemos tentando, como se estivéssemos desligados do mundo. Como se fôssemos imunes a fatores estressantes externos e limitações na marcha em direção aos nossos objetivos.

Porque nós somos.

ASSUMA A OFENSIVA

Os melhores homens não são aqueles que esperam as oportunidades, mas aqueles que as aproveitam; eles sitiam o acaso, conquistam o acaso e fazem do acaso o seu servo.

— E. H. CHAPIN

Na primavera de 2008, a candidatura presidencial de Barack Obama estava em perigo. Um escândalo racial envolvendo comentários inflamados de seu pastor, o reverendo Jeremiah Wright, ameaçaram a sua campanha, quebrando o estreito vínculo que Obama estabelecera entre eleitores negros e brancos em um momento crítico das primárias.

Raça, religião, demografia e polêmica se fundiram em uma só coisa. Era o tipo de desastre ao qual as campanhas políticas não sobrevivem, deixando a maioria dos candidatos tão paralisada de medo que eles adiam a ação. A resposta típica é se esconder, ignorar, ficar aturdido ou se distanciar.

O que quer que se pense sobre a política de Obama, ninguém pode negar o que aconteceu em seguida. Ele transformou um dos momentos mais infelizes de sua campanha em uma ofensiva surpresa.

Contra todos os conselhos e convenções, ele decidiu que entraria em ação e que essa situação negativa, na verdade, era um "momento didático". Obama canalizou a atenção e a energia em torno da polêmica para atrair uma audiência nacional e falar diretamente ao povo norte-americano a respeito da questão racial.

Este discurso, hoje conhecido como o discurso "Uma união mais perfeita", foi um momento transformador. Em vez de se distanciar, Obama tratou de tudo diretamente. Ao fazer isso, não apenas neutralizou uma polêmica potencialmente fatal, como criou uma oportunidade de assumir a liderança eleitoral. Absorvendo o poder dessa situação negativa, sua campanha foi instantaneamente infundida em uma energia que o impulsionou até a Casa Branca.

Se você acha que basta aproveitar as oportunidades que surgem em sua vida, não alcançará a grandeza. Qualquer pessoa senciente é capaz de fazer isso. O que você deve fazer é aprender a seguir em frente justamente quando todos ao seu redor só contemplam o desastre.

É nos momentos aparentemente ruins, quando as pessoas menos esperam, que podemos agir de modo rápido e inesperado para obtermos uma grande vitória. Enquanto outros estão paralisados pelo desânimo, nós não estamos. Vemos o momento de maneira diferente e agimos de acordo.

Ignore a política e concentre-se na brilhante orientação estratégica que o conselheiro de Obama, Rahm Emanuel, lhe deu certa vez: "Você nunca deve desperdiçar uma grande crise. Problemas adiados por muito tempo, que eram de longo prazo, agora são imediatos e precisam ser resolvidos. [Uma] crise nos dá a oportunidade de fazer coisas que não podíamos fazer anteriormente."

Se você olhar para a história, alguns de nossos maiores líderes usaram eventos assustadores ou negativos para promover reformas muito necessárias que, de outro modo, teriam poucas chances de ser aprovadas. Podemos aplicar isso em nossa própria vida.

Você sempre planejou fazer alguma coisa. Escrever um roteiro. Viajar. Começar um negócio. Se aproximar de um possível mentor. Iniciar um movimento.

Bem, agora algo aconteceu: algum evento perturbador como um fracasso, um acidente ou uma tragédia. *Use-o.*

Talvez você esteja convalescendo, preso a uma cama. Bem, agora tem tempo para escrever. Talvez as suas emoções sejam avassaladoras e dolorosas; transforme-as em material. Você perdeu o seu emprego ou terminou um relacionamento? Isso é horrível, mas, agora, você pode viajar sem restrições. Está tendo um problema? Agora você sabe exatamente o que dizer ao abordar aquele mentor. Aproveite esse momento para implantar o plano que há muito está adormecido em sua mente. Toda reação química requer um catalisador. Deixe que esse seja o seu.

Pessoas comuns evitam situações negativas, assim como o fracasso. Elas fazem o possível para evitar problemas. Pessoas grandiosas fazem o oposto. Elas são melhores nessas situações, revertendo a tragédia ou o infortúnio pessoal — qualquer contratempo, tudo, na verdade — em seu benefício.

Mas essa crise à sua frente? Você a está desperdiçando sentindo pena de si mesmo, cansado ou desapontado. Você se esquece que a vida estimula os ousados e favorece os corajosos.

Ficamos sentados reclamando que não temos chances ou oportunidades. Mas nós as temos.

Em certos momentos de nossa breve existência, nos deparamos com grandes provações. Frequentemente, tais provações são frustrantes, infelizes ou injustas. Parecem vir exatamente quando pensamos que menos precisamos delas. A questão é: nós as aceitamos como eventos exclusivamente negativos ou podemos superar qualquer negatividade ou adversidade que representem e montar uma ofensiva? Ou, mais precisamente: podemos ver que esse "problema" oferece uma oportunidade para uma solução que há muito esperávamos?

Se você não *aproveitar* isso, o problema é seu.

Napoleão descreveu a guerra em termos simples: dois exércitos são dois corpos que se chocam e tentam assustar um ao outro. No momento do impacto, há um instante de pânico e é *nesse momento* que o melhor comandante vira o jogo a seu favor.

Erwin Rommel, por exemplo, era conhecido por seu *Fronterführing*, seu sexto sentido para o momento decisivo de uma batalha. Ele tinha uma apurada capacidade de sentir — mesmo no calor do momento — a hora exata em que a ofensiva seria mais eficaz. Foi o que lhe permitiu repetidamente — muitas vezes de maneira inacreditável — arrebatar a vitória das garras da derrota.

Onde outros viram desastres ou, na melhor das hipóteses, apenas o ruído e a poeira normais de uma batalha, Rommel percebeu oportunidades. "Foi-me dado", disse ele, "sentir onde o inimigo é fraco". E, baseado nesses sentimentos, ele atacava com cada gota de energia, assumindo o controle do combate e nunca desistindo.

Grandes comandantes procuram pontos decisivos. Pois são as explosões de energia dirigidas a pontos decisivos que abrem as oportunidades. Eles pressionam, pressionam e pressionam e, então, quando a situação parece desesperadora — ou, mais provavelmente, um beco sem saída —, pressionam mais uma vez.

Em muitas batalhas, assim como na vida, duas forças opostas frequentemente chegam a um ponto de mútua exaustão. Aquele que se levanta na manhã seguinte após um longo dia de combate e, em vez de recuar, se reagrupa — aquele que diz: *Pretendo atacar e acossá-los aqui e agora* — que levará a vitória para casa... com inteligência.

Foi isso o que fez Obama. Sem se esquivar, sem ceder à exaustão, apesar da longa disputa voto a voto das primárias. Mas se recuperando no último momento. Transcendendo e reformulando o desafio, e triunfando como resultado disso. Ele transformou um incidente desagradável naquele "momento didático" e um dos mais profundos discursos sobre raça de nossa história.

O obstáculo não apenas é virado de cabeça para baixo, mas usado como catapulta.

PREPARE-SE PARA QUE NADA DISSO FUNCIONE

> No meio-tempo, agarre-se com unhas e dentes à seguinte regra: não ceda à adversidade, não confie na prosperidade e sempre preste atenção ao hábito do destino de se comportar como bem quer.
>
> — SÊNECA

Percepções podem ser gerenciadas. Ações podem ser direcionadas. Sempre podemos pensar com clareza, responder criativamente. Buscar a oportunidade, aproveitar a iniciativa.

O que não podemos fazer é controlar o mundo ao nosso redor — ao menos não tanto quanto gostaríamos. Podemos perceber bem os acontecimentos, agir corretamente e mesmo assim fracassar.

Pense da seguinte maneira: nada nos impedirá de tentar. Nada.

Criatividade e dedicação à parte, *alguns* obstáculos podem se revelar impossíveis de serem superados. Algumas ações tornam-se impossíveis; alguns caminhos, intransitáveis. Algumas circunstâncias são maiores do que nós.

Isso não precisa ser algo ruim. Porque também podemos virar esse obstáculo de cabeça para baixo, simplesmente usando-o como uma oportunidade de praticar alguma outra virtude ou habilidade — mesmo que seja apenas aprendendo a aceitar o fato que eventos ruins acontecem, ou praticar a humildade.

É uma fórmula infinitamente elástica: em cada situação, aquilo que bloqueia o nosso caminho, na verdade, apresenta um novo caminho com uma nova parte de nós. Se uma pessoa querida magoar você, será uma chance de praticar o perdão. Se o seu negócio falir, você poderá praticar a aceitação. Se não houver mais nada que você possa fazer por si mesmo, ao menos poderá tentar ajudar outras pessoas.

Como disse Duke Ellington certa vez: os problemas são uma chance para fazermos o nosso melhor.

Ou seja, apenas o nosso melhor. Não o impossível.

Devemos estar dispostos a lançar os dados e perder. Estarmos preparados para nada funcionar no fim das contas.

Qualquer pessoa que busque uma meta se vê frente a frente com isso a todo instante. Às vezes, nenhuma quantidade de planejamento ou raciocínio — não importando quão paciente e insistentemente tentemos — mudará o fato de que algumas proposições simplesmente não vão funcionar.

O mundo poderia ter menos mártires.

Temos dentro de nós o fato arraigado de sermos pessoas que tentam fazer as coisas, que tentam com tudo o que têm e, qualquer que seja o veredicto, estão prontas para aceitá-lo instantaneamente e seguir em frente para o que der e vier.

Você é assim? Porque pode ser.

PARTE III

VONTADE

O QUE É VONTADE? Vontade é o nosso poder interior, que nunca pode ser afetado pelo mundo exterior. É o nosso último trunfo. Se a ação é aquilo que fazemos quando ainda temos algum controle sobre a nossa situação, a vontade é aquilo do qual dependemos quando o controle desaparece. Colocados em uma situação que pareça imutável e inegavelmente negativa, podemos transformá-la em um aprendizado, uma experiência de humildade, uma chance de confortar os demais. Isso é força de vontade. Mas precisa ser cultivada. Devemos nos preparar para adversidades e turbulências, devemos aprender a arte da aquiescência e praticar a alegria, mesmo em tempos difíceis. Muitas vezes as pessoas pensam que a vontade é o quanto queremos alguma coisa. Na verdade, a vontade tem muito mais a ver com entrega do que com força. Tente "se Deus *quiser*" em vez de "vontade de vencer" ou "*desejar* que exista", pois até mesmo esses atributos podem ser rompidos. A verdadeira vontade é humildade silenciosa, resiliência e flexibilidade; o outro tipo de vontade é fraqueza disfarçada por fanfarronice e ambição. Veja qual dura mais frente aos obstáculos mais difíceis.

A DISCIPLINA DA VONTADE

Por ter se tornado mais mito do que homem, a maioria das pessoas não sabe que Abraham Lincoln lutou contra uma depressão paralisante durante toda a vida. Conhecida na época como melancolia, sua depressão costumava ser debilitante e profunda — quase levando-o ao suicídio em duas ocasiões.

Sua tendência para piadas e humor obsceno, um modo mais agradável de nos lembrarmos dele, era em muitos aspectos o oposto do que a vida deve ter parecido para Lincoln durante seus momentos mais sombrios. Embora pudesse ser leve e alegre, Lincoln sofreu períodos de intensa introspecção, isolamento e dor. Por dentro, lutou para controlar um fardo pesado que muitas vezes parecia impossível de carregar.

Durante a vida, Lincoln suportou e transcendeu grandes dificuldades. Cresceu na pobreza rural, perdeu a mãe quando criança, educou-se e estudou direito por conta própria, perdeu a mulher que amava ainda jovem, exerceu a advocacia em uma pequena cidade do interior, passou por diversas derrotas nas urnas enquanto abria caminho por meio da política e, é claro, dos surtos de depressão, que na época não eram entendidos ou apreciados como uma condição médica. Todos esses eram impedimentos que Lincoln atenuou com uma espécie de ambição estimulante e generosa, e resistência sorridente e terna.

Os desafios pessoais de Lincoln foram tão intensos que ele passou a acreditar que, de algum modo, estavam destinados a ele e que a depressão, especialmente, era uma experiência única que o preparava para ganhos maiores. Ele aprendeu a suportar, articular e encontrar benefícios e significado em tudo isso. Entender isso é a chave para entender a grandeza humana.

Durante a maior parte da carreira política de Lincoln, a escravidão era uma nuvem carregada que pairava sobre toda a nação, uma nuvem que pressagiava uma terrível tempestade. Alguns fugiram dela, outros se resignaram ou se tornaram apologistas, a maioria supôs que aquilo significava a dissolução permanente da União — ou pior, o fim do mundo tal qual conheciam.

Ocorre que cada qualidade produzida pela jornada pessoal de Lincoln era exatamente o que ele precisava para liderar o país em sua própria jornada e provação. Ao contrário de outros políticos, não se sentia tentado a se perder em conflitos mesquinhos e distrações, não conseguia ter temperamento sanguíneo, não conseguia encontrar em seu coração a capacidade de odiar como os outros odiavam. Sua própria experiência com o sofrimento levou a sua compaixão a aplacá-lo nas outras pessoas. Ele foi paciente porque sabia que as situações difíceis demoravam a passar. Acima de tudo, encontrou propósito e alívio em uma causa maior do que ele mesmo e em suas lutas pessoais.

A nação clamou por um líder magnânimo e com força de propósito — e encontrou um em Lincoln, um novato na política que, no entanto, era um experiente especialista em questões de vontade e paciência. Esses atributos nasceram de sua própria "dura experiência", como ele costumava chamá-la, e as características eram representativas de uma habilidade singular para liderar a nação por uma de suas provações mais difíceis e dolorosas: a Guerra Civil.

Por mais astuto, ambicioso e inteligente que fosse, a verdadeira força de Lincoln estava em sua vontade: a maneira como ele foi capaz de se resignar a uma tarefa onerosa sem ceder à desesperança, a maneira como ele conseguia conter tanto o humor quanto uma seriedade mortal, a maneira que conseguia usar a sua própria turbulência particular para ensinar e ajudar aos outros, a maneira como foi capaz de superar o tumulto e ver a política *filosoficamente*. "Isso também passará" era seu ditado favorito, que certa vez disse ser aplicável a toda e qualquer situação que alguém pudesse encontrar.

Para conviver com a depressão, Lincoln desenvolveu e se cercou de uma sólida fortaleza interior. E, em 1861, essa fortaleza voltou a lhe dar o que ele precisava para suportar e lutar uma guerra que estava prestes a começar. Durante quatro anos, a guerra se tornaria quase incompreensivelmente violenta, e Lincoln, que a princípio tentou evitá-la, lutaria para vencê-la com justiça e, finalmente, tentaria acabá-la sem "dolo para ninguém". O almirante David Porter, que estava com Lincoln em seus últimos dias, afirmou que era como se Lincoln "apenas achasse que tinha um dever desagradável a cumprir" e que se propôs a "executá-lo da maneira mais suave possível".

Devemos nos considerar pessoas de sorte por nunca termos passado por tal provação, ou sermos obrigados, como Lincoln o foi, a aguentarmos e sermos capazes de tirar proveito de nossa angústia pessoal a fim de superá-la. Mas certamente podemos e devemos aprender com a sua postura e coragem.

Na política ou na vida, a clareza e a ação nem sempre são o suficiente. Alguns obstáculos estão além de um estalar de dedos ou de uma nova solução. Nem sempre é possível para um homem livrar o mundo de um grande mal ou impedir que um país se incline para o conflito. Claro, nós tentamos — porque isso pode acontecer. Mas devemos estar prontos para que isso não aconteça. E precisamos ser capazes de encontrar um propósito maior no sofrimento e lidar com ele com firmeza e tolerância.

Este era Lincoln: sempre com uma nova ideia ou abordagem inovadora (seja enviando um barco de suprimentos em vez de reforços para as tropas sitiadas em Fort Sumter, ou conjugando uma vitória da União em Antietam com a Proclamação de Emancipação, de modo a revesti-la de uma aparência de força), mas igualmente pronto para o pior. E, então, preparado para tirar o melhor proveito do pior.

Liderança requer determinação e energia. Às vezes, certas situações exigem que os líderes canalizem toda essa energia determinada na resistência. Para prover força em tempos terríveis. Graças ao que passou, lutou e aprendeu a enfrentar em sua própria vida, Lincoln foi capaz de liderar. Para manter unida uma nação, uma causa, um esforço.

Esse é o caminho para a disciplina final: a Vontade. Se a Percepção e a Ação forem as disciplinas da mente e do corpo, então a Vontade é a disciplina do coração e da alma. A vontade é a única coisa que *nós* controlamos completamente, sempre. Embora eu possa *tentar* mitigar percepções prejudiciais e dedicar 100% de minha energia às ações, tais tentativas podem ser frustradas ou inibidas. Minha vontade é diferente, porque está dentro de mim.

A DISCIPLINA DA VONTADE

Vontade é força e sabedoria — diz respeito não apenas a obstáculos específicos, mas à própria vida e onde os obstáculos que enfrentamos se encaixam nela. Ela nos fornece a força definitiva. Força para suportar, contextualizar e extrair significado dos obstáculos que não podemos simplesmente superar (o que, na verdade, é a maneira de superar o insuperável).

Mesmo em sua própria época, os contemporâneos de Lincoln se maravilharam com a calma, a seriedade e a compaixão daquele homem. Hoje, tais qualidades parecem quase divinas — quase sobre-humanas. Seu senso do que precisava ser feito o diferenciava. Era como se ele estivesse acima ou além das divisões amargas que pesavam sobre os demais, como se fosse de outro planeta.

De certa forma, ele era. Ou, ao menos, veio de algum lugar muito distante, um lugar bem dentro de si mesmo, onde outros jamais estiveram. Educado no sofrimento, para citar Virgílio, Lincoln aprendeu a "confortar aqueles que também sofrem". Isso também faz parte da vontade — pensar nos outros, tirar o melhor proveito de uma situação terrível que tentamos evitar, mas não conseguimos, lidar com o destino com alegria e compaixão.

As palavras de Lincoln tocaram o coração das pessoas porque vieram dele, porque ele teve acesso a uma parte da experiência humana da qual muitos haviam se isolado. Sua dor pessoal era uma vantagem.

Lincoln foi forte e decisivo como líder. Mas também incorporou a máxima estoica: *sustine et abstine*. Suportar e tolerar. Reconheça a dor, mas prossiga em sua tarefa. Se a guerra durasse ainda mais tempo, Lincoln teria liderado o seu povo por meio dela. Se a União tivesse perdido a Guerra

Civil, ele saberia que fizera tudo o que pôde em busca da vitória. Mais importante: se Lincoln tivesse sido derrotado, ele estava preparado para suportar quaisquer consequências resultantes com dignidade, força e coragem. Oferecendo um exemplo para os demais, na vitória ou na derrota — o que viesse.

Com toda a nossa tecnologia moderna, veio a ilusão presunçosa de que controlamos o mundo ao nosso redor. Estamos convencidos de que agora podemos, finalmente, controlar o incontrolável.

Claro que isso não é verdade. É improvável que algum dia nos livremos de todas as partes desagradáveis e imprevisíveis da vida. Basta olharmos para a história para vermos quão aleatório, cruel e terrível o mundo pode ser. O incompreensível acontece o tempo todo.

Certos acontecimentos na vida vão rasgá-lo como uma faca. Quando isso ocorrer — nesse momento de exposição — o mundo terá um vislumbre do que realmente existe dentro de você. Então, o que será revelado quando você for cortado pela tensão e pela pressão? Ferro? Ar? Ou *papo furado*?

Assim, a vontade é a terceira disciplina crucial. Podemos pensar, agir e finalmente nos ajustar a um mundo que é inerentemente imprevisível. A vontade é o que nos prepara para isso, nos protege e nos permite prosperar e sermos felizes apesar disso. É também a mais difícil de todas as disciplinas. É o que nos permite permanecer imperturbáveis enquanto outros definham e cedem à desordem. Confiante, calmo, pronto para trabalhar independentemente das condições. Disposto a (e capaz de) continuar, mesmo durante o impensável, mesmo quando nossos piores pesadelos se tornarem realidade.

É muito mais fácil controlar as nossas percepções e emoções do que desistir de nosso desejo de controlar outras pessoas e eventos. É mais fácil persistir em nossos esforços e ações do que suportar o que é desconfortável ou doloroso. É mais fácil pensar e agir do que praticar a sabedoria.

Essas lições são mais difíceis, mas são, no fim das contas, as mais críticas para tirar vantagem da adversidade. Em todas as situações, você pode:

- Se preparar para momentos mais difíceis.
- Aceitar o que não pode ser mudado.
- Gerenciar as suas expectativas.
- Perseverar.
- Aprender a amar o seu destino e o que acontece com você.
- Proteger seu eu interior, buscar refúgio dentro de si mesmo.
- Se submeter a uma causa cada vez maior.
- Se lembrar da sua própria mortalidade.

CONSTRUA A SUA CIDADELA INTERIOR

Se te mostrares fraco no dia da angústia, é que a tua força é pequena.

— PROVÉRBIOS 24:10

Aos 12 anos, Theodore Roosevelt passara quase todos os dias de sua curta vida lutando contra uma asma terrível. Apesar de nascido em berço de ouro, sua vida dependia de um equilíbrio precário — os ataques eram uma experiência noturna de quase morte. Alto, desengonçado e frágil, o menor esforço perturbava todo o seu equilíbrio e o deixava acamado por semanas.

Um dia, seu pai entrou no seu quarto e disse algo que mudaria a vida do menino: "Theodore, você tem a mente, mas não tem o corpo. Estou lhe dando as ferramentas para fazer o seu corpo. Será um trabalho árduo e enfadonho, mas creio que você tem determinação para ir até o fim."

É de se supor que uma criança não entenderia aquilo, especialmente uma criança frágil nascida em meio a grande riqueza e status. Contudo, de acordo com a irmã mais nova de Roosevelt que testemunhou a conversa, ele entendeu. Sua resposta, imbuída daquilo que viria a caracterizar sua alegre personalidade, foi olhar para o pai e dizer com determinação: "Eu farei o meu corpo".

Nos cinco anos seguintes, o jovem Roosevelt começou a malhar fervorosamente todos os dias na academia que seu pai construíra na varanda do segundo andar de sua casa, lentamente desenvolvendo músculos, fortalecendo a parte superior do corpo para proteger os pulmões fracos e preparando-se para o futuro. Aos vinte e poucos anos, a batalha contra a asma terminava. Quase literalmente, ele expulsara aquela fraqueza de seu corpo.

Aquele trabalho na academia preparou um garoto fisicamente fraco, embora inteligente, para o período desafiador no qual o país e o mundo estavam prestes a ingressar. Foi a sua preparação e o início do cumprimento daquilo que ele chamaria de "a Vida Extenuante".

De fato, a vida não foi fácil para ele: Roosevelt perdeu a esposa e a mãe em rápida sucessão, enfrentou inimigos políticos poderosos e arraigados que desprezavam a sua agenda progressista, foi derrotado nas eleições, o país estava envolvido em guerras no exterior e ele sobreviveu a tentativas de assassinato quase fatais. Entretanto, devido ao seu treinamento inicial, ao qual deu continuidade diária, estava preparado para tudo aquilo.

Você está preparado dessa forma? Você poderia realmente cuidar de si mesmo caso a situação subitamente *piorasse*?

Consideramos a fraqueza algo natural. Presumimos que simplesmente somos como nascemos, que nossas desvantagens são permanentes. E atrofiamos a partir daí.

Essa não é necessariamente a melhor receita para as agruras da vida.

Nem todo mundo aceita um começo ruim. Essas pessoas refazem o corpo e a vida com atividades e exercícios. Elas se preparam para a árdua jornada. Será que gostariam de nunca precisar trilhá-la? Claro. Mas estão preparadas para isso de qualquer maneira.

Você está?

Ninguém nasce com uma espinha dorsal de aço. Precisamos forjar isso por conta própria.

Construímos a nossa força espiritual por meio de exercícios físicos e nossa resistência física por meio da prática mental (*mens sana in corpore sano* — mente sã em um corpo são).

Essa abordagem remonta aos antigos filósofos. Cada fragmento da filosofia que desenvolveram tinha o objetivo de reformulá-los, prepará-los e fortalecê-los para os desafios que enfrentariam. Muitos se viam como atletas mentais — afinal, o cérebro é um músculo como qualquer outro tecido ativo. Pode ser desenvolvido e tonificado praticando-se os exercícios certos. Com o tempo, sua memória muscular cresce ao ponto de poder responder intuitivamente a todas as situações. Principalmente aos obstáculos.

Diz-se que, privados de uma pátria estável por tanto tempo, seus templos destruídos e suas comunidades em diáspora, os judeus foram forçados a se reconstruírem não física, mas mentalmente. O templo tornou-se metafísico, localizado de forma independente na mente de cada indivíduo. Cada um — para onde quer que tenha se dispersado ao redor do mundo, qualquer que fosse a perseguição ou dificuldade que enfrentasse — poderia recorrer ao templo para obter força e segurança.

Considere este versículo do Hagadá: "Em cada geração, uma pessoa é obrigada a se ver como se fosse aquela que saiu do Egito."

Durante o Sêder de Páscoa, o cardápio é de ervas amargas e pão sem fermento — o "pão da aflição". Por quê? De certa forma, isso remete à fortaleza que sustentou a comunidade durante gerações. O ritual não apenas celebra e honra as tradições judaicas, como faz com que aqueles que participam do banquete visualizem e possuam a força que os manteve vivos.

Isso é muito semelhante ao que os estoicos chamavam de Cidadela Interior, aquela fortaleza dentro de nós que nenhuma adversidade externa é capaz de destruir. Uma advertência importante é que não nascemos com essa estrutura; ela deve ser construída e ativamente reforçada. Nos bons momentos, fortalecemos a nós mesmos e ao nosso corpo para que, nos momentos difíceis, possamos contar com isso. Protegemos a nossa fortaleza interior para que ela possa nos proteger.

Para Roosevelt, a vida era como uma arena e ele era um gladiador. Para sobreviver, precisava ser forte, resistente, destemido, pronto para tudo. E ele estava disposto a sofrer grandes danos pessoais e gastar muita energia para desenvolver essa resistência.

Você terá muito mais sorte se fortalecendo do que tentando arrancar os dentes de um mundo que, na melhor das hipóteses, é indiferente à sua existência. Quer tenhamos nascido fracos como Roosevelt ou estejamos passando por bons momentos atualmente, devemos sempre nos preparar para o caso de as adversidades surgirem. À nossa maneira, em nossa própria luta, estamos todos na mesma posição que Roosevelt estava.

Ninguém nasce gladiador. Ninguém nasce com uma cidadela interior. Devemos construir essa força de vontade para conseguirmos alcançar os nossos objetivos apesar dos obstáculos que venham a surgir.

Para ser ótimo em algum ofício, é preciso prática. Obstáculos e adversidades não são diferentes. Embora seja mais fácil se acomodar e desfrutar de uma vida moderna confortável, a vantagem da preparação é que não estamos dispostos a perder tudo — muito menos a nossa cabeça — quando algo ou alguém subitamente bagunçar os nossos planos.

A essa altura já é quase um clichê, mas afirmar que a maneira de fortalecer um arco arquitetônico é colocando um peso sobre ele — porque une as pedras e as mantém assim apenas por meio da tensão — é uma ótima metáfora.

O caminho da menor resistência é um péssimo mestre. Não podemos nos dar ao luxo de fugir dos problemas que nos intimidam. Não precisamos desvalorizar nossas fraquezas.

Você não se importa em ficar sozinho? Você é forte o bastante para, se for o caso, aguentar mais alguns rounds? Você se sente confortável com os desafios? A incerteza o incomoda? Como é a sensação de pressão?

Porque essas coisas *acontecerão* com você. Ninguém sabe quando ou como, mas sua vinda é certa. E a vida exigirá uma resposta. Você escolheu isso para si mesmo, uma vida produtiva. Agora é melhor estar preparado para o que isso acarreta.

É a sua blindagem. Não o torna invencível, mas o ajuda a se preparar para quando a sorte mudar... e ela sempre muda.

ANTECIPAÇÃO
(PENSAMENTO NEGATIVO)

Ofereça uma garantia e haverá uma ameaça de desastre.

— ANTIGA INSCRIÇÃO NO ORÁCULO DE DELFOS

Uma CEO convoca a sua equipe para a sala de reuniões na véspera do lançamento de uma nova e importante iniciativa. Todos entram em fila e se sentam ao redor da mesa. Ela pede a atenção dos presentes e diz: "Tenho más notícias. O projeto falhou espetacularmente. Digam-me, o que deu errado?"

Como assim?! Ainda nem lançamos...

Esse é o ponto. A CEO está forçando um exercício em retrospectiva — com antecedência. Está usando uma técnica desenvolvida pelo psicólogo Gary Klein, conhecida como *pré--morte*.

Em uma necropsia, os médicos se reúnem para examinar as causas da morte inesperada de um paciente para que possam aprender e melhorar o atendimento na próxima vez em que surgir uma circunstância semelhante. Fora do mundo médico, temos várias expressões para nos referir a esta situação — reunião de avaliação, entrevista de saída, reunião de encerramento, revisão —, mas, seja como for, a ideia é a mesma: estamos examinando o projeto em retrospectiva, depois que aconteceu.

Uma pré-morte é diferente. Nela, procuramos visualizar com antecedência o que pode dar errado, o que vai dar errado, antes de começarmos. Muitos empreendimentos ambiciosos falham por motivos evitáveis. Muitas pessoas não têm um plano B porque se recusam a considerar que algo pode não sair exatamente como desejavam.

Raramente os eventos acabam saindo como o planejado. Da mesma forma, você raramente recebe o que merece. No entanto, negamos esse fato a todo instante e ficamos assustados com os acontecimentos do mundo à medida que se sucedem. É ridículo. Pare de se preparar para uma queda.

Ninguém expressou isso melhor do que Mike Tyson, que, refletindo sobre o colapso de sua fama e fortuna, disse a um repórter: "Se você não for humilde, a vida o levará à humildade."

Se ao menos mais pessoas estivessem considerando a pior das hipóteses em pontos críticos da vida, talvez a bolha das pontocom, o caso Enron, os ataques de 11 de setembro, a invasão do Iraque e a bolha imobiliária pudessem ter sido evitadas. Como ninguém quis considerar o que poderia ocorrer e resultar, ocorreram as catástrofes.

Hoje, a pré-morte é cada vez mais popular nos círculos de negócios, desde empresas iniciantes até empresas da Fortune 500 e da *Harvard Business Review*. Contudo, assim como todas as grandes ideias, na realidade isso não é nada de novo. O crédito vai para os estoicos. Eles tinham até um nome melhor para a prática: *premeditatio malorum* (premeditação dos males).

ANTECIPAÇÃO (PENSAMENTO NEGATIVO)

Um escritor como Sêneca começaria revisando ou ensaiando os seus planos, digamos, para fazer uma viagem. E, então, repassaria em sua mente (ou por escrito) as coisas que poderiam dar errado ou impedir que a viagem acontecesse: poderia ocorrer uma tempestade, o capitão poderia adoecer, o navio poderia ser atacado por piratas.

"Nada acontece ao homem sábio contra a sua expectativa", escreveu ele a um amigo "... nem todas as coisas acontecem como ele desejava, mas, sim, como ele calculou — acima de tudo, ele reconheceu que algo poderia atrapalhar os seus planos."

Sempre preparado para interrupções, sempre as trabalhando em nossos planos. Adequado, como se costuma dizer, para a derrota ou para a vitória. E, convenhamos, uma surpresa agradável é muito melhor do que uma desagradável.

E se...
Então eu...
E se...
Em vez disso, vou apenas...
E se...
Sem problema, sempre podemos...

E, caso nada pudesse ser feito, os estoicos usariam isso como uma prática importante para fazer algo que o restante de nós muitas vezes deixa de fazer: administrar expectativas. Porque às vezes a única resposta para "E se..." é: *Vai ser uma merda, mas ficaremos bem.*

Seu mundo é governado por fatores externos. Promessas não são cumpridas. Você nem sempre obtém o que é seu por direito, mesmo que o mereça. Nem tudo é tão limpo e simples quanto os jogos praticados na escola de negócios. Esteja preparado para isso.

Você precisa fazer concessões ao mundo ao seu redor. Dependemos de outras pessoas. Você não pode contar com todo mundo como conta consigo mesmo (embora, convenhamos, às vezes somos os nossos piores inimigos). E isso quer dizer que as pessoas cometerão erros e bagunçarão os seus planos — nem sempre, mas na maior parte das vezes.

Se isso for uma surpresa constante a cada vez que ocorrer, você não apenas se sentirá infeliz como também terá muito mais dificuldade em aceitar e passar para as tentativas número dois, três e quatro. A única garantia que temos é que *as coisas vão dar errado*. A única certeza que podemos usar para atenuar isso é a antecipação. Porque a única variável que controlamos completamente somos nós mesmos.

A sabedoria popular nos fornece as máximas:

- Cuidado com a calmaria antes da tempestade.
- Espere pelo melhor, prepare-se para o pior.
- O pior ainda está por vir.
- Piora antes de melhorar.

O mundo pode chamá-lo de pessimista. Quem se importa? É muito melhor parecer desanimado do que ser enganado ou pego de surpresa. É melhor meditar sobre o que pode acontecer, sondar as fraquezas em nossos planos, para que essas falhas inevitáveis possam ser percebidas corretamente, tratadas de forma adequada ou simplesmente suportadas.

Então, o verdadeiro motivo pelo qual não temos nenhum problema em pensar no azar é porque não temos medo do que

ANTECIPAÇÃO (PENSAMENTO NEGATIVO)

este pressagia. Estamos preparados com antecedência para a adversidade — os outros é que não estão. Em outras palavras, esse azar é, na verdade, uma oportunidade de recuperarmos algum tempo. Somos como aqueles corredores que treinam em colinas ou em altitude para poder vencer outros corredores que esperavam que o percurso fosse plano.

É claro que a antecipação não torna as batalhas mais fáceis magicamente. Mas estamos preparados para elas, por mais difíceis que sejam, difíceis como realmente são.

Como resultado de nossa antecipação, entendemos a gama de resultados potenciais e sabemos que nem todos são bons (raramente são). Podemos nos acomodar a qualquer um deles. Entendemos que tudo pode dar errado. E, então, podemos voltar à tarefa em pauta.

Você sabe que deseja realizar X, então investe tempo, dinheiro e relacionamentos para fazer aquilo. A pior situação que pode acontecer não é algo dar errado, mas algo dar errado e pegá-lo de surpresa. Por quê? Porque o fracasso inesperado é desanimador e ser espancado dói.

Mas a pessoa que ensaiou em sua mente o que poderia dar crrado não é pega de surpresa. A pessoa pronta para se decepcionar não se decepcionará. Terá força para suportar. Provavelmente não ficará desanimada, não se esquivará e não cometerá nenhum erro diante da tarefa que tem à sua frente.

Você sabe o que é melhor do que construir cenas em sua imaginação? Construir cenas na vida real. Claro, é muito mais divertido construir cenários em sua imaginação do que destruí-los. Mas a que propósito isso serve? Apenas o prepara para a desilusão. As quimeras são como bandagens — só doem quando são arrancadas.

Com antecipação, temos tempo para aumentar as defesas, ou mesmo evitá-las completamente. Estamos prontos para sermos desviados do curso porque planejamos um caminho de volta. Podemos evitar nos despedaçarmos caso os acontecimentos não saiam como planejado. Com antecipação, podemos suportar o que acontecer.

Estamos preparados para o fracasso e prontos para o sucesso.

A ARTE DA AQUIESCÊNCIA

As Parcas guiam quem as aceite e atrapalham quem a elas resista.

— CLEANTES

Thomas Jefferson: calado, contemplativo e reservado de nascença — supostamente com algum problema de fala. Comparado aos grandes de sua época — Patrick Henry, John Wesley, Edmund Burke — era um péssimo orador.

Com o coração voltado para a política, tinha duas opções: lutar contra essa condição ou aceitá-la.

Ele escolheu a última alternativa, canalizando para a escrita a energia que outros dedicavam à oratória. Ali, encontrou o seu meio. Ele descobriu que podia se expressar com clareza. Escrever era a sua força. Jefferson foi aquele a quem um grupo nomeado pelo Congresso recorreu quando foi preciso redigir a Declaração de Independência. Ele escreveu um dos documentos mais importantes da história, em um único rascunho.

Jefferson simplesmente não era um orador público — reconhecer isso e agir de acordo não o tornava menos homem

O mesmo vale para Thomas Edison, que, como a maioria das pessoas não sabe, era quase completamente surdo. Ou Helen Keller, que era cega *e* surda. Para ambos, foi a privação desses sentidos — e a aceitação, em vez do ressentimento — que lhes permitiu desenvolver sentidos diferentes, embora agudamente poderosos, para se ajustarem às suas realidades.

Nem sempre parece assim, mas as restrições na vida são um bom desafio. Especialmente se pudermos aceitá-las e permitir que nos direcionem. Elas nos empurram a lugares e a desenvolver habilidades que, de outro modo, jamais teríamos buscado. Preferimos ter tudo? Claro, mas isso não depende de nós.

"O verdadeiro gênio", como disse certa vez o dr. Samuel Johnson, "é uma mente de grande potencial geral acidentalmente determinada em alguma direção específica."

Essa canalização requer consentimento. Requer aceitação. Precisamos nos permitir sofrer alguns acidentes.

Eu não posso simplesmente desistir! Eu quero lutar!

Você sabe que não é o único que precisa aceitar coisas das quais não gosta, certo? Faz parte da condição humana.

Se algum conhecido entendesse os sinais de trânsito de uma maneira pessoal, nós o consideraríamos louco.

No entanto, é exatamente isso que a vida faz conosco. Diz para pararmos aqui. Ou que algum cruzamento está bloqueado, ou que uma determinada estrada foi redirecionada para um desvio inconveniente. Não podemos contestar esse problema. Simplesmente o aceitamos.

Isso não quer dizer que deixamos que nos impeça de chegar ao nosso destino final. Mas muda a maneira como viajamos para chegar até lá e a duração da viagem.

Quando um médico lhe dá recomendações ou um diagnóstico — mesmo que seja o contrário daquilo que queria —, o que você faz? Apenas aceita. Você não precisa gostar do tratamento, mas sabe que negá-lo só retardará a cura.

Depois de distinguir entre as batalhas que dependem e as que não dependem de você (*ta eph'hemin, ta ouk eph'hemin*), e a ruptura se resumir a algo que você não controla... você tem apenas uma opção: a *aceitação*.

A tentativa não deu certo.
A ação caiu a zero.
O tempo atrasou o embarque.
Diga comigo: *C'est la vie*. Está tudo bem.

Você não precisa gostar de algo para dominar ou usar aquilo para obter alguma vantagem. Quando a causa de nosso problema é externa, nós o aceitamos melhor e seguimos em frente. Paramos de lutar e o aceitamos. Os estoicos têm um lindo nome para essa atitude. Eles a chamam de Arte da Aquiescência.

Sejamos claros, isso não é o mesmo que desistir. Não tem nada a ver com ação: aplica-se a situações que são imunes à ação. É muito mais fácil falar sobre como as coisas deveriam ser. É preciso tenacidade, humildade e vontade para aceitá-las como realmente são. É preciso ser um ser humano de verdade para enfrentar a *necessidade*.

Todos os eventos externos podem ser igualmente benéficos para nós porque podemos virar todos de cabeça para baixo e fazer uso deles. Podem nos ensinar uma lição que, de outra forma, relutamos em aprender.

Por exemplo, em 2006, uma lesão de longo prazo no quadril finalmente abateu o técnico do Lakers, Phil Jackson, e a cirurgia à qual se submeteu para repará-la limitou severamente os seus movimentos na quadra. Relegado a uma cadeira especial de capitão junto aos jogadores, ele não conseguia caminhar ao longo da linha lateral ou interagir com o time da mesma maneira. Inicialmente, Jackson temeu que isso afetasse o seu trabalho. Na verdade, sentar-se na linha lateral acima do restante do banco *aumentou* a sua autoridade. Ele aprendeu a se afirmar sem nunca ser arrogante como fora no passado.

Contudo, para obtermos tais benefícios inesperados, primeiro precisamos aceitar os custos inesperados — mesmo que, a princípio, prefiramos não tê-los.

Infelizmente, muitas vezes somos gananciosos demais para fazer isso. De maneira involuntária, pensamos no quanto gostaríamos que uma determinada situação fosse melhor. Começamos a pensar no que preferiríamos ter. Raramente consideramos o quanto os contratempos poderiam ser piores do que são.

E as adversidades *sempre* podem ser piores. Não quero ser simplista, mas da próxima vez que você:

Perder dinheiro?
Lembre-se que poderia ter perdido um amigo.
Perder aquele emprego?
E se você tivesse perdido uma perna ou um braço?
Perder a sua casa?
Você poderia ter perdido tudo.

Ainda assim, nos angustiamos e reclamamos a respeito do que nos foi tirado. Ainda não conseguimos apreciar o que temos.

A arrogância no cerne dessa noção de que podemos mudar tudo é de certo modo nova. Em um mundo onde podemos enviar documentos ao redor do mundo em nanossegundos, conversar em vídeo de alta definição com qualquer pessoa em qualquer lugar, prever o clima com precisão de minutos, é muito fácil internalizar a suposição de que a natureza foi domesticada e submetida aos nossos caprichos. Claro que não.

As pessoas nem sempre pensaram dessa maneira. Os antigos (e os nem tão antigos assim) usavam a palavra destino com muito mais frequência do que nós, porque eram mais suscetíveis e expostos a quão caprichoso e aleatório o mundo poderia ser. Os eventos eram considerados "vontade dos deuses". As Parcas eram forças que moldavam a nossa vida e nosso destino, muitas vezes sem muito consentimento.

As cartas costumavam ser assinadas *Deo volente* — se Deus quiser, pois quem sabia o que aconteceria?

Pense em George Washington jogando tudo o que tinha na Revolução Americana e dizendo: "O evento está nas mãos de Deus." Ou Eisenhower, escrevendo para a esposa na véspera da invasão aliada na Sicília: "Tudo aquilo que pudemos pensar foi feito, as tropas estão prontas, todos estão dando o seu melhor. A resposta está nas mãos dos deuses." Esses não eram homens propensos a deixar os detalhes para outras pessoas — mas que entendiam que, no fim das contas, o que aconteceu aconteceria. E partiriam daí.

É hora de ser humilde e flexível o suficiente para reconhecer o mesmo em nossa vida. Que sempre há alguém ou alguma força que pode mudar os nossos planos. E que esse alguém não somos nós mesmos. Como diz o ditado: "O homem põe, mas Deus dispõe."

Quis o destino.
Se Deus quiser.
Se a natureza permitir.
Lei de Murphy.

Seja qual for a versão que você preferir, é tudo igual. Não mudou muito entre aquela época e a nossa — eles só eram mais cientes disso.

Veja: se quisermos usar a metáfora de que a vida é um jogo, isso significa jogar os dados, as fichas ou as cartas onde elas caírem. Jogue a partir de onde a bola cair, diria um jogador de golfe.

O modo como a vida é lhe dá muito com o que trabalhar, muito com o que deixar a sua marca. Aceitar as pessoas e os eventos tais como são já é material suficiente. Siga para onde os eventos o levam. A água que rola colina abaixo sempre acaba chegando no fundo, não é mesmo?

Porque: (a) você é robusto e resiliente o bastante para lidar com o que quer que aconteça; (b) não pode fazer nada a respeito; e (c) você está contemplando uma imagem e uma linha de tempo tão amplas que tudo o que precisa aceitar ainda é apenas um ponto insignificante no caminho até o seu objetivo.

Somos indiferentes e isso não é uma fraqueza.

Como Francis Bacon disse certa vez: "Para ser comandada, a natureza deve ser obedecida."

AME TUDO O QUE ACONTECE:
AMOR FATI

> Minha fórmula para a grandeza em um ser humano é *amor fati*: não desejar nada de diferente senão aquilo que é, seja no futuro, no passado, ou em toda a eternidade. Não apenas suportar o que é necessário, muito menos ocultá-lo... mas amá-lo.
>
> — FRIEDRICH NIETZSCHE

Certa noite Thomas Edison, então com 67 anos, voltou mais cedo para casa após outro dia no laboratório. Pouco depois do jantar, um homem entrou correndo em sua casa com notícias urgentes: começara um incêndio no centro de pesquisa e produção de Edison, a poucos quilômetros dali.

Carros de bombeiros de oito cidades próximas correram para o local, mas não puderam conter o incêndio. Alimentadas por estranhos produtos químicos em vários edifícios, chamas verdes e amarelas chegavam ao sétimo andar, ameaçando destruir todo o império que Edison passara a vida construindo.

Calmo, embora com rapidez, Edison foi até o lugar do incêndio, passando por centenas de curiosos e funcionários arrasados, em busca de seu filho. "Vá chamar a sua mãe e todas as amigas dela", disse ele ao rapaz com uma empolgação infantil. "Elas nunca verão um incêndio como este outra vez."

O quê?!

Não se preocupe, Edison o acalmou. "Está tudo bem. Acabamos de nos livrar de um monte de lixo."

Essa é uma reação incrível. Mas, pensando bem, realmente não havia outra reação possível.

O que Edison deveria ter feito? Chorar? Ficar com raiva? Desistir e voltar para casa?

No que, exatamente, isso teria adiantado?

Agora você sabe a resposta: em nada. Então ele não perdeu tempo se entregando. Para ter grandes resultados, precisamos ser capazes de suportar tragédias e contratempos. Precisamos amar o que fazemos e tudo o que isso acarreta, seja bom ou ruim. Precisamos aprender a encontrar alegria em cada evento que aconteça.

Claro, havia mais do que apenas "lixo" nos edifícios de Edison. Anos e anos de registros, protótipos e pesquisas inestimáveis foram transformados em cinzas. Os prédios, que eram feitos de concreto supostamente à prova de fogo, foram assegurados em apenas uma fração de seu valor. Pensando ser imunes a tais desastres, Edison e seus investidores só tinham cobertura para apenas um terço dos danos sofridos.

Ainda assim, Edison não ficou desolado, não como ele poderia e provavelmente deveria ficar. Em vez disso, o incidente o revigorou. Como disse a um repórter no dia seguinte, ele ainda não estava velho demais para recomeçar. "Já passei por muita perda parecida. Esse tipo de incidente impede que um homem seja atormentado pelo tédio."

Em cerca de três semanas, os prédios estavam parcialmente reconstruídos e em funcionamento. Em um mês, seus homens trabalhavam dois turnos por dia elaborando novos produtos que o mundo nunca tinha visto. Apesar de um prejuízo de quase 1 milhão de dólares (mais de 23 milhões em dólares atuais), Edison reuniria energia suficiente para faturar quase 10 milhões de dólares em receitas naquele ano (mais de 200 milhões hoje). Ele não apenas sofreu uma perda imensa, como se recuperou e reagiu àquilo de maneira espetacular.

O próximo passo após descartar as nossas expectativas e aceitar o que acontece conosco, após entendermos que certos eventos — especialmente os ruins — estão fora de nosso controle, é este: amar tudo o que acontece conosco e enfrentar isso com alegria infalível.

É o ato de transformar o que *devemos* fazer no que *podemos* fazer.

Depositamos as nossas energias, emoções e esforços onde terão um impacto real. Este é aquele lugar. Dizemos para nós mesmos: *É isso o que preciso fazer ou suportar? Posso muito bem me sentir satisfeito com isso.*

Eis uma imagem a ser considerada: a do grande boxeador Jack Johnson em sua famosa luta de quinze assaltos contra Jim Jeffries. Jeffries, a Grande Esperança Branca, saíra da aposentadoria como um gladiador enlouquecido para derrotar o campeão negro em ascensão. E Johnson, genuinamente odiado por seu oponente e pela multidão, ainda assim aproveitou cada minuto. Sorrindo, brincando, divertindo-se durante toda a luta.

E por que não? Qualquer outra reação não valeria a pena. Johnson deveria odiá-los por eles o odiarem? A amargura era o seu fardo e ele se recusou a carregá-lo.

Não é que ele simplesmente aceitasse o abuso. Em vez disso, Johnson projetou o seu plano de luta em torno desse abuso. A cada comentário desagradável do canto de Jeffries, ele dava outro *lacing** em seu oponente. A cada golpe baixo ou investida de Jeffries, Johnson debochava e reagia — mas nunca perdia a calma. E quando um golpe bem colocado abriu um corte no lábio de Johnson, ele continuou sorrindo — um sorriso mórbido, sangrento, mas, ainda assim, alegre. A cada assalto, ele ficava mais feliz, mais amigável, à medida que seu oponente ficava mais furioso e cansado, acabando por perder a vontade de lutar.

Ao se ver em seus piores momentos, lembre-se de Johnson: sempre calmo, sempre no controle, amando genuinamente a oportunidade de demonstrar o seu valor, de atuar para as pessoas, quer elas quisessem que ele tivesse sucesso ou não, cada comentário recebendo a resposta que merecia e nada mais — deixando o oponente cavar a própria sepultura. Até que a luta acabou com Jeffries na lona e todas as dúvidas quanto a Johnson silenciadas.

Como relatou o famoso romancista Jack London dos assentos ao lado do ringue:

> *Ninguém o entende, esse homem que sorri. Bem, a história da luta é a história de um sorriso. Se alguma vez um homem venceu por nada mais fatigante do que um sorriso, esse foi Johnson na vitória de hoje.*

---

* *Lacing* é o ato de esfregar a parte inferior da luva de boxe, onde ficam os cadarços, no rosto do oponente com a intenção de feri-lo. (N. do T.)

Esse homem poderia ser qualquer um de nós — ou melhor, nós *poderíamos* ser como ele caso nos esforçássemos para isso. Pois estamos em nossa própria luta com os nossos próprios obstáculos, e podemos vencê-los com um sorriso implacável (frustrando as pessoas ou os obstáculos que tentam nos frustrar). Podemos ser como Edison, não lamentar quando tudo está em chamas a nossa volta, mas apreciar a cena espetacular. E, então, começar o esforço de recuperação no dia seguinte — reagindo rapidamente.

Seus obstáculos podem não ser tão sérios ou tão violentos. No entanto, são significativos e estão fora de seu controle. Justificam apenas uma resposta: um sorriso.

Como os estoicos se comportaram: alegria em todas as situações, especialmente nas ruins. Vá lá saber onde Edison e Johnson aprenderam esse epíteto, mas claramente o aprenderam.

Aprender a não espernear e gritar por causa de assuntos que não podemos controlar é uma coisa. A indiferença e a aceitação certamente são melhores do que a decepção ou a raiva. São poucos os que entendem ou praticam essa arte. Mas esse é apenas o primeiro passo. Melhor do que tudo isso é o amor por tudo o que acontece, por cada situação.

O objetivo é:

Não: *estou bem com isso.*
Não: *acho que me sinto bem com isso.*
Mas: *eu me sinto ótimo com isso.*
Porque se aconteceu, então era para acontecer, e estou feliz que tenha acontecido quando aconteceu. Devo tirar o melhor proveito desse acontecimento.

E continue fazendo exatamente isso.

Não podemos escolher o que acontece conosco, mas sempre podemos escolher como nos sentiremos a esse respeito. E por que diabos você *escolheria* sentir qualquer outra reação, afora se sentir bem? Podemos escolher prestar uma boa conta de nós mesmos. Se o evento deve ocorrer, *amor fati* (amor ao destino) é a resposta.

Não perca um segundo contemplando as suas expectativas. Olhe para a frente, e olhe com um sorrisinho presunçoso.

É importante observar Johnson e Edison porque eles não eram passivos. Eles não se limitaram a deixar para lá e tolerar a adversidade. Ambos aceitaram o que aconteceu com eles. E *gostaram*.

É um pouco antinatural, eu sei, sentir gratidão por situações que nunca quisemos que acontecessem. Mas, a essa altura, já sabemos das oportunidades e benefícios que residem nas adversidades. Sabemos que, ao superá-los, emergimos mais fortes, mais perspicazes, empoderados. Há poucos motivos para adiarmos tais sentimentos. Por que reconhecer tardiamente, e a contragosto, que foi melhor assim, quando podíamos ter sentido isso com antecedência, já que era algo inevitável?

Você adora isso porque é combustível. E não se limita a querer. Você precisa de combustível. Não pode ir a lugar nenhum sem ele. Ninguém, nem nada, pode. Então, você é grato por isso.

O que não quer dizer que o bem sempre superará o mal. Ou que seja sem custo algum. Mas sempre há algo de bom — mesmo que quase imperceptível no início — contido naquilo que é ruim.

E podemos encontrá-lo e nos alegrar com isso.

PERSEVERANÇA

Cavalheiro, estou me fortalecendo neste empreendimento. Repito, *agora* estou me fortalecendo em relação a este empreendimento.

— WINSTON CHURCHILL

Após dez longos anos de guerra, Ulisses deixa Troia para voltar para casa, em Ítaca. Se ele soubesse o que estava por vir: mais dez anos de viagem. Quando estava muito perto do litoral de sua terra natal, de sua rainha e de seu filho, seria novamente empurrado de volta para o alto-mar.

Se soubesse que enfrentaria tempestades furiosas, tentações, um ciclope, redemoinhos mortais e um monstro gigante de seis cabeças. Ou que seria mantido cativo por sete anos e sofreria a ira inabalável de Poseidon. E, é claro, que em Ítaca os seus rivais estavam tramando planos terríveis, tentando tomar a sua esposa e o seu reino.

Como ele superou isso? Como o herói voltou para casa apesar de tudo? Criatividade, é claro. E astúcia, liderança, disciplina e coragem.

Mas acima de tudo: perseverança.

Já falamos sobre Ulysses S. Grant do outro lado do rio, olhando para Vicksburg, procurando uma maneira, qualquer maneira, de atravessar e tomá-la. Isso é *persistência*. É Ulisses parado às portas de Troia, tentando de tudo antes do sucesso do cavalo de Troia. Persistência. Tudo direcionado para um problema, até que este se resolva.

Mas uma viagem de dez anos de provações e tribulações? De decepção e erros sem ceder? De verificar a sua orientação a cada dia e tentar se aproximar um pouco mais de casa — onde você enfrentará uma série de outros problemas assim que chegar — com o coração de ferro e pronto para suportar qualquer punição que os Deuses decidam que você mereça, e fazê-lo com coragem e tenacidade para voltar a Ítaca? Isso é mais do que persistência, é *perseverança*.

Se a persistência é tentar resolver algum problema difícil lançando mão de uma determinação obstinada e martelando até que ocorra o rompimento, pode-se dizer que muitas pessoas são persistentes. A perseverança, no entanto, é algo maior. É um jogo demorado. Diz respeito ao que acontece não apenas no primeiro round, mas no segundo e em todos os rounds subsequentes — e, então, a luta seguinte e a luta seguinte, até o fim.

Os alemães têm uma palavra para isso: *sitzfleisch*. Poder pela permanência. Ganhar mantendo o rabo colado no assento e não saindo dali antes de tudo acabar.

A vida não se trata de um obstáculo, mas de *muitos*. O que é exigido de nós não é o foco míope em uma única faceta de um problema, mas simplesmente a determinação de que *chegaremos* aonde precisamos chegar, de algum modo, de alguma maneira, e que nada nos deterá.

Superaremos todos os obstáculos — e haverá muitos na vida — até chegarmos lá. A persistência é uma ação. Perseverança é uma questão de vontade. Uma é energia. A outra, *resistência*. E, é claro, ambas trabalham em conjunto. Esse verso de Tennyson em sua totalidade:

Enfraquecido pelo tempo e pelo destino, mas forte na vontade
Para lutar, buscar, encontrar e não ceder.

Persistir e perseverar.

Ao longo da história humana, surgiram diversas estratégias para superar os problemas intermináveis que nos afetam como indivíduos e como grupo. Em alguns momentos, a solução foi a tecnologia; em outros, a violência ou uma forma radical de pensar que mudou tudo.

Vimos muitos desses exemplos. Mas, em geral, uma estratégia tem sido mais eficaz do que todas as outras e é responsável por muito mais do que qualquer outra iniciativa. Funciona em boas e más situações, em situações perigosas e situações aparentemente sem esperança.

Quando o marinheiro Antonio Pigafetta, o assistente de Fernão de Magalhães em sua viagem ao redor do mundo, refletiu sobre a maior e mais admirável habilidade de seu chefe, o que você acha que ele disse? Não teve nada a ver com velejar. O segredo de seu sucesso, disse Pigafetta, era a capacidade de Magalhães de suportar a fome melhor do que os outros homens.

Existem muito mais fracassos no mundo devido a colapsos da força de vontade do que jamais haverá devido a eventos externos objetivamente conclusivos.

Perseverança. Força de propósito. Vontade indomável. Essas características já fizeram parte do DNA norte-americano. Mas estão enfraquecendo já há algum tempo. Como escreveu Ralph Waldo Emerson em 1841:

> Se nossos jovens fracassam em seus primeiros empreendimentos, perdem todo o ânimo. Se o jovem comerciante fracassar, os outros dirão que ele está arruinado. Se o melhor gênio estudar em uma de nossas faculdades e, um ano depois, não estiver instalado em um escritório no centro ou nos subúrbios de Boston ou Nova York, parecerá para os seus amigos e para si mesmo que é correto ele estar desanimado e reclamar pelo restante da vida.

Pense no que Emerson diria sobre nós agora. O que ele diria sobre você?

A maioria das pessoas de minha geração decide voltar a morar com os pais após a faculdade. Para eles, o desemprego é o dobro da média nacional. De acordo com um estudo de 2011 da Universidade de Michigan, muitos graduados nem se importam em aprender a dirigir. *A estrada está fechada*, dizem, *então por que tirar uma carteira de motorista que não poderei usar?*

Lamentamos, reclamamos e choramingamos quando o rumo da vida não acontece do nosso jeito. Ficamos arrasados quando o que nos foi "prometido" é revogado — como se isso não fosse permitido acontecer. Em vez de fazer algo a respeito, sentamos em casa e jogamos videogame, viajamos ou, pior, pagamos mais estudos com mais empréstimos que nunca serão quitados. E, então, nos perguntamos por que a situação não está melhorando.

Estaríamos muito melhor se seguíssemos a liderança do contraexemplo de Emerson. Alguém que está disposto a tentar não uma coisa, mas que "experimenta todas as profissões, trabalha em equipe, cultiva, vende, mantém uma escola, prega, edita um jornal, vai ao Congresso, compra um condomínio fechado, e assim por diante, em anos sucessivos, e, assim como um gato, sempre cai de pé".

Isso é perseverança. E com isso, Emerson disse: "Com o exercício da autoconfiança, novos poderes surgirão." O bom a respeito da verdadeira perseverança é que não pode ser interrompida por nada afora a morte. Para citar Beethoven: "Ainda não se levantaram barreiras que digam 'daqui não passarás!' ao talento e ao esforço ambicioso."

Podemos dar a volta, fracassar ou retroceder. Podemos decidir que o impulso e a derrota não são mutuamente exclusivos — podemos continuar avançando, mesmo se tivermos sido impedidos em uma direção específica.

Nossas ações podem ser restringidas, mas não a nossa vontade. Nossos planos — até mesmo o nosso corpo — podem ser desfeitos. Mas acreditar em nós mesmos? Não importa quantas vezes sejamos obrigados a recuar, temos o poder de tentar mais uma vez. Ou experimentar outro caminho. Ou, ao menos, aceitar esta realidade e nos decidirmos quanto a um novo objetivo.

Se você pensar bem, a determinação é invencível. Nada além da morte pode nos impedir de seguir a antiga sigla de Churchill: KBO, *Keep Buggering On*. Continue Insistindo.

Desespero? Isso é por sua conta. Ninguém mais tem culpa quando você joga a toalha.

Não controlamos as barreiras ou as pessoas que as ergueram. Mas controlamos a nós mesmos — e isso é suficiente.

Então, a verdadeira ameaça à determinação não é o que acontece conosco, mas nós mesmos. Por que você seria o seu pior inimigo?

Aguente, aguente com firmeza.

ALGO MAIOR DO QUE VOCÊ MESMO

O trabalho de um homem é tornar o mundo um lugar melhor para se viver, na medida em que ele for capaz — sempre lembrando que os resultados serão infinitesimais —, e cuidar da própria alma.

— LEROY PERCY

Um piloto de caça da Marinha dos Estados Unidos chamado James Stockdale foi abatido no Vietnã do Norte em 1965. Enquanto voltava para a terra após se ejetar de seu avião, passou aqueles poucos minutos contemplando o que o esperava lá embaixo. Prisão? Com certeza. Tortura? Provavelmente. Morte? Talvez. Não havia como saber quanto tempo levaria, ou se ele voltaria a ver a sua casa ou a sua família.

Contudo, no segundo em que Stockdale atingiu o chão, essa especulação terminou. Ele não ousaria pensar em *si mesmo*. Veja, ele tinha uma missão.

Durante a Guerra da Coreia, uma década antes, a autopreservação individual revelara seu lado ruim. Nos terríveis e gelados campos de prisioneiros daquela guerra, cada soldado norte-americano estava por conta própria. O medo e os instintos de sobrevivência dos prisioneiros de guerra norte-americanos foram tão intensos que eles acabaram brigando entre si e até matando uns aos outros simplesmente para permanecerem vivos, em vez de lutarem contra os seus capturadores para sobreviver ou escapar.

Stockdale, então comandante, ciente de que seria o prisioneiro de guerra de mais alto escalão que as tropas norte-vietnamitas já haviam capturado, sabia que não poderia fazer nada quanto ao seu destino. Mas, como oficial comandante, poderia fornecer liderança, apoio e orientação aos demais prisioneiros (que incluíam o futuro senador John McCain). Ele poderia mudar essa situação e não permitir que a história se repetisse — essa seria a sua causa, ele ajudaria os seus homens e os lideraria. E foi exatamente o que fez por mais de sete anos; dois dos quais passados com grilhões nas pernas em confinamento solitário.

Stockdale não assumiu as suas obrigações como comandante com tranquilidade. Ele chegou a tentar o suicídio a certa altura, não para acabar com seu sofrimento, mas para enviar uma mensagem aos guardas. Outros soldados deram a vida no esforço de guerra. Ele não os desonraria, ou ao seu sacrifício, permitindo-se ser usado como uma ferramenta contra sua causa comum. Ele preferia se ferir a colaborar — mesmo contra a sua vontade — em vez de ferir ou prejudicar os demais. Ele provou ser superior a qualquer dano físico com o qual o ameaçassem os seus carcereiros.

Mas ele era humano. E entendeu que os seus homens também eram. A primeira coisa que fez foi jogar fora quaisquer noções idealistas sobre o que acontece com um soldado quando solicitado a dar informações durante as horas de tortura. Por isso, montou uma rede de apoio dentro do campo, especificamente para ajudar aqueles que se sentiam envergonhados por terem cedido à pressão. *Estamos nisso juntos*, dizia. Ele lhes deu uma palavra de ordem para se lembrarem: *U.S. — Unity over Self.**

Em sua cela ali perto, John McCain respondeu essencialmente da mesma forma e foi capaz de suportar torturas indescritíveis pelos mesmos motivos. Na esperança de manchar o prestigioso legado militar da família McCain e dos Estados Unidos, os vietcongues repetidamente ofereceram a McCain a oportunidade de ser libertado e voltar para casa. Ele não aceitou. Não minaria a causa, apesar do interesse próprio. Escolheu ficar e ser torturado.

Esses dois homens não eram fanáticos pela causa — certamente tinham as suas próprias dúvidas quanto à Guerra do Vietnã. Mas a causa deles era os seus homens. Eles se importavam com os seus companheiros de prisão e extraíam grande força do fato de colocarem o bem-estar desses homens à frente do seu.

Felizmente, você não se encontrará em um campo de prisioneiros de guerra. Contudo, estamos enfrentando tempos economicamente difíceis — que, na verdade, às vezes podem parecer completamente desesperadores.

Você é jovem, não provocou isso, não é culpa sua. Todos nós nos ferramos. Isso só torna mais fácil perder o nosso senso de identidade, para não falar de nosso senso de coletividade e pensar — mesmo que apenas para nós mesmos: *Eu não me importo com eles, vou pegar o que é meu antes que seja tarde demais.*

---

* Unidade acima do indivíduo (N. do T.)

Especialmente quando os líderes em sua suposta comunidade deixam claro que é exatamente assim que se sentem em relação a você no que se refere à crise. Mas, não, ignore isso. É nesse momento que devemos mostrar a verdadeira força de vontade que temos dentro de nós.

Há alguns anos, em meio à crise financeira, o artista e músico Henry Rollins conseguiu expressar essa obrigação profundamente humana melhor do que milênios de doutrina religiosa jamais conseguiram:

> As pessoas estão ficando um tanto desesperadas e podem não conseguir mostrar as suas melhores qualidades para você. Nunca se rebaixe a ser uma pessoa de quem você não gosta. Não há melhor momento do que agora para se ter uma espinha dorsal moral e cívica. Para se ter uma verdadeira orientação moral e cívica. Essa é uma tremenda oportunidade para você, jovem, ser heroico.

Você não precisa se martirizar. Veja, quando nos concentramos nos outros, ajudando-os ou, simplesmente, dando-lhes um bom exemplo, nossos próprios medos e problemas pessoais diminuem. Como o medo ou a dor de cabeça não são mais a nossa principal preocupação, não temos tempo para elas. O propósito compartilhado nos fortalece.

O desejo de desistir ou de transigir em princípios subitamente parece muito egoísta quando consideramos as pessoas que seriam afetadas por tais decisões. No que diz respeito a obstáculos e quaisquer reações que provoquem — tédio, ódio, frustração ou confusão —, só porque você se sente assim não significa que todo mundo se sinta da mesma forma.

Às vezes, quando estamos pessoalmente presos a algum problema intratável ou impossível, uma das melhores maneiras de criar oportunidades ou novos caminhos para se movimentar é pensar: *Se não consigo resolver isso por conta própria, como posso ao menos tornar isso melhor para as outras pessoas?* Por um segundo, tome como certo que não resta mais nada para nós, nada que possamos fazer por nós mesmos. Como podemos usar essa situação para beneficiar outras pessoas? Como podemos resgatar algo de bom com isso? Se não for por mim, então que seja pela minha família, pelos que estou liderando ou por aqueles que mais tarde podem se encontrar em uma situação semelhante.

O que não ajuda ninguém é tornar tudo isso uma questão pessoal, o tempo inteiro. *Por que isso aconteceu comigo? O que* eu *farei a esse respeito*?

Você ficará surpreso com o quanto a desesperança se desfaz quando chegamos a essa conclusão. Porque agora temos algo a *fazer*. Assim como Stockdale, agora temos uma missão. À luz da futilidade ofuscante, temos ordens de marcha e decisões que devem ser tomadas.

Pare de tornar as situações mais difíceis para si mesmo pensando: eu, eu, eu. Pare de colocar aquele "eu" perigoso à frente dos eventos. *Eu* fiz isso. *Eu* fui tão inteligente. *Eu* tenho isso. *Eu* mereço mais do que isso. Não é de admirar que você leve as perdas para o lado pessoal, não é de admirar que se sinta tão sozinho. Você inflou o seu próprio papel e importância.

Comece a pensar: *Unidade acima do indivíduo. Estamos nisso juntos.*

Mesmo que não possamos carregar o fardo até o fim, tentaremos pegar a parte mais pesada. Vamos servir aos outros.

Ajudar a nós mesmos, ajudando-os. Tornando-nos melhores por causa disso, extraindo propósito disso.

Seja lá pelo que você esteja passando, o que quer que o esteja prendendo ou atravessando o seu caminho, isso pode ser transformado em uma fonte de força: pensar em outras pessoas além de si mesmo. Você não terá tempo para pensar em seu próprio sofrimento porque haverá outras pessoas sofrendo e você estará muito focado nelas.

O orgulho pode ser dobrado. A resistência tem os seus limites. Mas o desejo de ajudar? Nenhuma dificuldade, nenhuma privação, nenhuma fadiga deve interferir em nossa empatia para com os outros. A compaixão é sempre uma opção. A camaradagem também. Esse é um poder da vontade que nunca poderá ser tirado de você, apenas abandonado.

Pare de fingir que esse momento pelo qual você está passando é de algum modo especial ou injusto. Qualquer problema que esteja tendo, não importando quão difícil seja, não é um infortúnio único escolhido especialmente para você. É apenas o que é.

Esse tipo de miopia é o que nos convence, em nosso próprio detrimento, de que somos o centro do universo. Quando, na verdade, existe um mundo além de nossa própria experiência particular, repleto de pessoas que já enfrentaram situações piores. Não somos especiais ou únicos simplesmente por existirmos. Todos somos, em vários pontos de nossa vida, o assunto de eventos aleatórios e muitas vezes incompreensíveis.

Lembrar-nos disso é outra maneira de sermos um pouco mais altruístas.

Você sempre pode se lembrar de que há uma década, um século, um milênio, alguém como você estava exatamente onde você está agora e teve sentimentos muito semelhantes, lutando contra os mesmos pensamentos. Eles não faziam ideia de que você existiria, mas você sabe que eles existiram. E, daqui a um século, alguém estará exatamente na mesma posição, mais uma vez.

Abrace esse poder, essa sensação de fazer parte de um todo maior. É um pensamento estimulante. Deixe-o envolvê-lo. Todos nós somos apenas humanos fazendo o melhor que podemos. Estamos apenas tentando sobreviver e, no processo, nos esforçando para que o mundo evolua também.

Ajude os seus companheiros humanos a prosperar e a sobreviver, contribua um pouco com o universo antes que este o engula; e seja feliz com isso. Dê a mão aos outros. Seja forte por eles e isso o tornará mais forte.

MEDITE SOBRE A SUA MORTALIDADE

Quando um homem sabe que será enforcado dali a duas semanas, sua mente se concentra maravilhosamente.

— DR. SAMUEL JOHNSON

Em fins de 1569, um nobre francês chamado Michel de Montaigne foi dado como morto após cair de um cavalo a galope. Enquanto seus amigos carregavam seu corpo lânguido e ensanguentado para casa, Montaigne viu a vida escapar de seu eu físico, não de uma maneira traumática, mas quase suave, como se um espírito dançasse na "ponta de seus lábios". Contudo, no último segundo possível, ele voltou.

Essa experiência sublime e incomum marcou o momento em que Montaigne mudou a própria vida. Dali a alguns anos, ele seria um dos escritores mais famosos da Europa. Após o acidente, Montaigne escreveu diversos volumes de ensaios populares, serviu dois mandatos como prefeito, viajou para o exterior como dignitário e serviu como confidente do rei.

É uma história tão antiga quanto o tempo: o homem quase morre, faz um balanço de sua vida e emerge dessa experiência uma pessoa completamente diferente e melhor.

E assim foi para Montaigne. Chegar tão perto da morte o energizou, atiçou sua curiosidade. A morte não era mais algo a se temer — olhar nos olhos dela fora um alívio, até mesmo inspirador.

A morte não torna a vida sem sentido, mas, sim, repleta de propósito. E, felizmente, não precisamos quase morrer para aproveitar essa energia.

Nos ensaios de Montaigne, vemos a prova do fato de que se pode meditar sobre a morte — estar bem ciente de nossa própria mortalidade — sem ser mórbido ou deprimente. Na verdade, sua experiência proporcionou-lhe uma relação lúdica única com sua existência e uma sensação de clareza e euforia que carregou consigo daquele momento em diante. Isso é encorajador: significa que abraçar a precariedade de nossa própria existência pode ser estimulante e fortalecedor.

Nosso medo da morte é um obstáculo crescente em nossa vida que molda as nossas decisões, pontos de vista e ações.

Para Montaigne, entretanto, ele reviveria e meditaria sobre aquele momento de quase morte pelo restante de sua vida, recriando-o da melhor maneira possível. Ele estudou a morte, discutiu-a, aprendeu como era encarada por outras culturas. Por exemplo, Montaigne escreveu certa vez sobre um antigo jogo que envolvia bebidas alcoólicas, no qual os participantes se revezavam segurando a pintura de um cadáver dentro de um caixão e brindando-o com a frase: "Beba e seja feliz porque, quando você estiver morto, ficará assim."

Como Shakespeare escreveu em *A tempestade*, não muitos anos depois, quando ele próprio estava envelhecendo: "Cada terceiro pensamento será o meu túmulo."

Cada cultura tem a sua própria maneira de ensinar a mesma lição. *Memento mori*, diziam os romanos. Lembre-se de que você é mortal.

É estranho pensar que nos esqueceríamos disso ou que precisaríamos ser lembrados disso, mas é claro que nos esquecemos.

Parte da razão pela qual temos tantos problemas com aceitação é porque nosso relacionamento com a nossa própria existência é totalmente confuso. Podemos não dizer isso, mas, no fundo, agimos e nos comportamos como se fôssemos invencíveis. Como se estivéssemos imunes às provações e tribulações da mortalidade. *Essas adversidades acontecem com outras pessoas, não comigo. Ainda tenho muito tempo.*

Esquecemos como é débil o nosso controle sobre a vida.

Caso contrário, não gastaríamos tanto tempo obcecados por trivialidades, ou tentando nos tornar famosos, ganhar mais dinheiro do que poderíamos gastar ou fazer planos para um futuro distante. Tudo isso é negado pela morte. Todas essas suposições presumem que a morte não nos afetará, ou, ao menos, não quando não quisermos. Os caminhos da glória, escreveu Thomas Gray, conduzem apenas ao túmulo.

Não importa quem você é ou quantos projetos lhe restam a fazer, em algum lugar há alguém que o mataria por 1.000 dólares ou por uma pedra de crack ou por você estar no caminho dessa pessoa. Um carro pode atropelá-lo em um cruzamento e afundar os seus dentes para dentro de seu crânio. É isso. Tudo acabará. Hoje, amanhã, algum dia em breve.

É uma pergunta clichê: *O que eu mudaria em minha vida se o médico me dissesse que estou com câncer?* Após darmos a nossa resposta, inevitavelmente nos confortamos com a mesma mentira traiçoeira: *Bem, graças a Deus eu não tenho câncer.*

Mas nós temos. O diagnóstico é terminal para todos. Uma sentença de morte foi decretada. A cada segundo, a probabilidade corrói as chances de estarmos vivos amanhã; algo está vindo e você nunca será capaz de deter. Esteja pronto para quando esse dia chegar.

Lembre-se da oração da serenidade: se algo está sob o nosso controle, merece cada grama de nosso esforço e energia. A morte não está sob nosso poder de decisão — não temos controle sobre quanto tempo viveremos ou o que acontecerá e tirará a nossa vida.

Mas pensar e estar ciente de nossa mortalidade cria um ponto de vista real e urgente. Não precisa ser deprimente. Porque é revigorante.

E, já que isso é verdade, devemos fazer uso dele. Em vez de negar — ou pior, temer — a nossa mortalidade, podemos abraçá-la.

Lembrar-nos todos os dias de que vamos morrer nos ajuda a tratar o nosso tempo como uma dádiva. Quem tem um prazo não se entrega a tentar o impossível, não perde tempo reclamando como gostaria que a realidade fosse.

Essas pessoas descobrem o que precisam fazer e o fazem, adaptando-se o máximo possível antes que o tempo acabe. Quando esse momento chegar dizem: *Claro que eu gostaria de ter vivido um pouco mais, mas aproveitei muito o que já me foi dado, então está tudo bem.*

Não resta dúvida quanto a isso: a morte é o mais universal de nossos obstáculos. É aquele a respeito do qual não podemos fazer muita coisa. Na melhor das hipóteses, podemos tentar atrasá-la — e mesmo assim, ainda morremos.

Mas isso não quer dizer que ela não tenha valor para nós enquanto estamos vivos. É mais fácil priorizar quando estamos à sombra da morte. Assim como é mais fácil ser bom, atencioso e ter princípios. Tudo se encaixa em seu devido lugar e perspectiva. Por que fazer algo errado? Por que sentir medo? Por que decepcionar a si mesmo e aos outros? A vida acabará em breve; a morte nos adverte que devemos viver a vida direito.

Podemos aprender a nos ajustar e a aceitar a morte — esse último e mais humilhante fato da vida — e encontrar alívio no entendimento de que não há nada mais difícil do que isso.

E, então, se até mesmo a nossa própria mortalidade pode ter algum benefício, como você ousa dizer que não pode encontrar valor em cada um dos outros tipos de obstáculo com que se deparar pelo caminho?

PREPARE-SE PARA COMEÇAR NOVAMENTE

Viva em suas bênçãos, seu destino foi alcançado. Mas o nosso nos chama de uma provação para a outra.

— VIRGÍLIO

A grande lei da natureza é que esta nunca para. Não há fim. Quando você acha que superou um obstáculo com sucesso, outro aparece. Mas é isso que torna a vida interessante. E, como você está começando a perceber, é isso o que cria as oportunidades. A vida é um processo de superar obstáculos — uma série de linhas fortificadas que devemos romper.

A cada vez, você aprenderá alguma lição. A cada vez, você desenvolverá força, sabedoria e perspectiva. A cada vez, um pouco mais da competição desaparecerá. Até que tudo o que restará será você: a melhor versão de si mesmo.

Como diz o provérbio haitiano: atrás das montanhas há mais montanhas.

O Elísio é um mito. Não se supera um obstáculo para entrar na terra dos não obstáculos. Ao contrário: quanto mais você realiza, mais dificuldades aparecerão no seu caminho. Sempre há mais obstáculos, desafios maiores. Você está sempre lutando morro acima. Acostume-se e se prepare de acordo.

Saber que a vida é uma maratona e não uma corrida é importante. Economize a sua energia. Entenda que cada batalha é apenas uma entre muitas e que você pode usá-la para tornar a próxima mais fácil. Mais importante, você deve manter todas em uma perspectiva realista.

Superar um obstáculo quer dizer que você merece mais. O mundo parece continuar jogando-os em seu caminho porque sabe que você é capaz. O que é bom, porque melhoramos a cada tentativa.

Não deixe nada abalar você. Não se exalte. Sempre movimente-se e comporte-se com criatividade. Tome decisões acertadas. Não tente fazer o impossível — mas tudo o que estiver dentro dos seus limites.

Ultrapasse as barreiras que surgirem em sua vida, melhore apesar delas, *por causa* delas.

Não se sinta amedrontado, mas sim animado, alegre e ansioso pela próxima rodada.

CONSIDERAÇÕES FINAIS

O obstáculo torna-se o caminho

Ao fim de seu reinado, doente e possivelmente à beira da morte, Marco Aurélio recebeu notícias surpreendentes. Seu velho amigo e general de maior confiança, Avídio Cássio, rebelara-se na Síria. Tendo ouvido que o imperador estava vulnerável ou provavelmente morto, o ambicioso general decidiu se declarar César e tomar o trono à força.

Marco deve ter ficado com raiva. A história o teria perdoado por querer se vingar daquele inimigo, esmagar aquele homem que o traíra, que ameaçara a sua vida, sua família e seu legado. Em vez disso, Marco não fez nada — chegando ao ponto de não revelar a notícia para suas tropas, que poderiam se enfurecer ou desejar tirar satisfações em seu nome —, mas esperou para ver se Cássio cairia em si.

O que não aconteceu. Então, Marco Aurélio convocou os seus soldados e fez um anúncio dos mais extraordinários. Eles marchariam contra Cássio e conquistariam o "grande prêmio da guerra e da vitória". Mas é claro que, em se tratando de Marco Aurélio, esse prêmio de guerra era algo completamente diferente do esperado.

Eles capturariam Cássio, mas não para matá-lo, e, sim, "... para perdoar um homem que errou, para permanecer amigo de alguém que violou a amizade, para continuar fiel a alguém que perdeu a fé".

Marco controlou as suas percepções. Ele não estava com raiva, ele não desprezava o inimigo. Ele não diria uma palavra maldosa contra Cássio. Ele não levaria aquilo para o lado pessoal. Então, agiu — com razão e firmeza — enviando tropas a Roma para acalmar as multidões em pânico e começou a fazer o que devia ser feito: proteger o império, debelar uma ameaça.

Como disse aos seus homens, se havia algum lucro a tirar daquela situação terrível que eles não desejavam, seria "solucionar bem esse assunto e mostrar a toda a humanidade que existe uma maneira certa de resolver as batalhas, até mesmo guerras civis".

O obstáculo se torna o caminho.

É claro que, como ocorre frequentemente, até mesmo os planos mais bem-intencionados podem ser interrompidos por terceiros. Os destinos de Cássio e Marco Aurélio mudaram três meses depois, quando um assassino solitário matou Cássio no Egito. Seu sonho de se tornar imperador acabou ali. Assim como a esperança de Marco Aurélio de poder perdoar seu traidor pessoalmente.

Mas isso criou uma oportunidade melhor — a oportunidade de praticar o perdão em uma escala significativamente maior. Os estoicos gostavam de usar a metáfora do fogo. Escrevendo em seu diário, Marco Aurélio certa vez lembrou para si mesmo que "quando o fogo é forte, logo se apropria da matéria que está empilhada sobre ele, e a consome, e sobe mais alto graças a esse mesmo material".

A morte inesperada de seu rival, o homem a quem Marco Aurélio foi privado de conceder clemência, foi essa metáfora aplicada na prática. Agora, Marco perdoaria essencialmente a todos os envolvidos. Ele não levaria nada para o lado pessoal. Ele seria uma pessoa melhor, um líder melhor por causa disso.

Chegando às províncias logo após a morte de Cássio, Marco se recusou a condenar qualquer coconspirador à morte. Ele se recusou a processar qualquer um dos senadores ou governadores que endossaram ou expressaram apoio ao levante. E quando outros senadores insistiram em sentenças de morte para seus pares associados à rebelião, Marco simplesmente escreveu para eles: "Imploro a vocês, o senado, que mantenham o meu reinado imaculado do sangue de qualquer senador. Que isso nunca aconteça."

O obstáculo torna-se o caminho, torna-se o caminho.

Para sempre, sempre e sempre.

Sim, é improvável que alguém trame um levante armado contra o nosso trono. Mas as pessoas farão comentários incisivos. Elas nos darão fechadas no trânsito. Nossos rivais roubarão os nossos negócios. Seremos feridos. Forças tentarão nos deter. Eventos ruins acontecerão.

Até mesmo isso podemos reverter em vantagem própria. Sempre.

É uma oportunidade. Sempre.

E se nossa única opção — como foi o caso de Marco Aurélio — frente à ganância ou ao desejo de poder de outra pessoa for simplesmente ser um bom ser humano e praticar o perdão? Ora, essa ainda é uma boa opção.

Tenho certeza de que você percebeu que esse é o padrão em cada uma das histórias deste livro.

Algo surge no caminho de alguém. A pessoa avalia o obstáculo, não se intimida. Dedicando-se ao seu problema, fraqueza ou questão, ela dá tudo o que tem, física e mentalmente. Mesmo que nem sempre supere aquilo da maneira que pretendia ou esperava, o indivíduo emerge melhor, mais forte.

O que estava no caminho tornou-se o caminho. O que impedia a ação de algum modo a fez avançar.

É inspirador. É comovente. É uma arte que precisamos trazer para a nossa vida.

Nem todo mundo olha para os obstáculos — geralmente os mesmos que você e eu enfrentamos — e vê razão para se desesperar. Na verdade, algumas pessoas veem o oposto. Veem um problema com uma rápida solução. Veem uma chance de se testar e se aprimorar.

Nada permanece em seus caminhos. Em vez disso, tudo as orienta no caminho.

É tão melhor ser assim, não é mesmo? Há leveza e flexibilidade nessa abordagem que parece muito diferente de como nós — e a maioria das pessoas — escolhemos viver. Com nossas decepções, ressentimentos e frustrações.

Podemos ver as situações "ruins" que acontecem em nossa vida com gratidão e não com pesar, transformar desastres em benefícios reais — a derrota em vitória.

O destino não precisa ser fatalista. Pode facilmente ser destino e liberdade.

Esses indivíduos não frequentaram uma escola especial (afora, no caso de muitos, terem certa familiaridade com a antiga sabedoria do estoicismo). Nada do que eles fizeram está fora do nosso alcance. Eles simplesmente desbloquearam algo que está muito presente em cada um de nós. Testados no cadinho da adversidade e forjados na fornalha da provação, perceberam esses poderes latentes — os poderes da percepção, da ação e da vontade.

Com esta tríade, eles:

- Veem com clareza.
- Agem corretamente.
- Suportam e aceitam o mundo tal como é.

Perceba os problemas como são, não deixe nenhuma opção inexplorada, então permaneça forte e transforme o que não pode ser mudado. Uma reação se alimenta da outra: agir nos dá a confiança para ignorar ou controlar as nossas percepções. Provamos e apoiamos a nossa vontade com nossas ações.

O filósofo e escritor Nassim Nicholas Taleb definiu um estoico como alguém que "transforma o medo em prudência, a dor em transformação, os erros em iniciação e o desejo em empreendimento". É um *loop* que se torna mais fácil com o tempo.

Veja, ninguém está dizendo que você precisa fazer tudo de uma vez. Margaret Thatcher só se tornou conhecida como a Dama de Ferro aos 60 anos de idade. Há um ditado em latim: *Vires adquirit eundo* (ganhamos força à medida que avançamos). É assim que funciona. Esse é o nosso lema.

Ao dominar essas três disciplinas, temos as ferramentas para virar qualquer obstáculo de cabeça para baixo. Somos dignos de todo e qualquer desafio.

Claro, não é suficiente apenas ler ou dizer isso. Devemos praticar essas máximas, repetindo-as com constância em nossa mente e agindo de acordo com elas até que se tornem uma memória muscular.

Para que, sob pressão e provações, possamos melhorar — nos tornar pessoas, líderes e pensadores melhores. Porque essas provações e pressões inevitavelmente virão. E nunca deixarão de vir.

Mas não se preocupe. Agora, você está preparado para essa vida de obstáculos e adversidades. Sabe o que fazer, como afastar os obstáculos e até mesmo se beneficiar deles. Você entende o processo.

Você foi educado na arte de administrar as suas percepções e impressões. Como Rockefeller, você se mantém frio sob pressão, imune a insultos e abusos. Vê oportunidade nos lugares mais sombrios.

Você é capaz de direcionar as suas ações com energia e persistência. Como Demóstenes, você assume a responsabilidade por si mesmo — ensinando a si mesmo, compensando as desvantagens e perseguindo sua legítima vocação e lugar no mundo.

Você tem uma coluna vertebral de ferro e possui uma vontade grande e poderosa. Como Lincoln, você percebe que a vida é uma provação. Não será fácil, mas, mesmo assim, está preparado para dar tudo o que tem, pronto para persistir, perseverar e inspirar outras pessoas.

Os nomes de incontáveis outros praticantes nos escapam, mas eles souberam lidar com os mesmos problemas e obstáculos. Essa filosofia os ajudou a ultrapassar as adversidades com sucesso. Eles silenciosamente superaram o que a vida lhes apresentou e, de fato, prosperaram por causa disso.

Eles não eram nada de especial, nada que também não sejamos capazes de ser. O que eles fizeram foi simples (simples, não fácil). Mas vamos repetir mais uma vez apenas para nos lembrarmos:

- Veja as coisas como são.
- Faça o que puder.
- Suporte e resista o quanto deve.

Aquilo que bloqueava o caminho agora é o caminho.
O que antes impedia a ação adianta a ação.
O Obstáculo é o Caminho.

EPÍLOGO

Você agora é um filósofo. Parabéns.

Ser filósofo não é apenas ter pensamentos sutis, tampouco fundar uma escola... é resolver alguns dos problemas da vida, não só teórica, mas praticamente.

— HENRY DAVID THOREAU

Agora você se juntou às fileiras de Marco Aurélio, Catão, Sêneca, Thomas Jefferson, James Stockdale, Epicteto, Theodore Roosevelt, George Washington e muitos outros.

Todos esses homens praticavam e estudavam explicitamente o estoicismo — sabemos disso com certeza. Eles não eram acadêmicos, mas homens de ação. Marco Aurélio foi imperador do império mais poderoso da história. Catão, o exemplo moral de muitos filósofos, nunca escreveu uma palavra, mas defendeu a república romana com bravura estoica até sua morte. Até mesmo Epicteto, o palestrante, não teve uma vida confortável — em parte dela foi escravizado.

Dizia-se que Frederico, o Grande, cavalgava com as obras dos estoicos em seus alforjes porque, segundo ele, podiam "sustentá-lo no infortúnio". Montaigne, o político e ensaísta, tinha uma frase de Epicteto entalhada na viga do teto do escritório no qual passava a maior parte do tempo. Aos 17 anos, George Washington foi apresentado por seus vizinhos ao estoicismo, e encenou uma peça sobre Catão para inspirar seus homens naquele inverno sombrio em Valley Forge.

Quando Thomas Jefferson morreu, ele tinha uma cópia de Sêneca em sua mesa de cabeceira. As teorias do economista Adam Smith sobre a interconexão do mundo — capitalismo — foram significativamente influenciadas pelo estoicismo, que ele estudou na escola com um professor que traduziu as obras de Marco Aurélio. Eugène Delacroix, o renomado pintor romântico francês (mais conhecido por sua pintura *Liberdade guiando o povo*), era um estoico fervoroso, referindo-se a essa filosofia como sua "religião consoladora". Toussaint Louverture, ele próprio um ex-escravizado que desafiou um imperador, leu e foi profundamente influenciado pelas obras de Epicteto. O pensador político John Stuart Mill escreveu sobre Marco Aurélio e o estoicismo em seu famoso tratado *Sobre a liberdade*, chamando-o de "o mais alto produto ético da mente antiga".

O escritor Ambrose Bierce, condecorado veterano da Guerra Civil e contemporâneo de Mark Twain e H. L. Mencken, costumava recomendar Sêneca, Marco Aurélio e Epicteto a aspirantes a escritor que lhe escreviam, dizendo que aquilo os ensinaria a "serem convidados digno à mesa dos deuses." Após a presidência, Theodore Roosevelt passou oito meses explorando (e quase morrendo) a Floresta Amazônica e, dos oito livros que trouxe para a viagem, dois eram *Meditações* de Marco Aurélio e o *Manual de Epicteto*, de Epicteto.

EPÍLOGO

Beatrice Webb, a reformadora social inglesa que inventou o conceito de negociação coletiva, menciona carinhosamente as *Meditações* em suas memórias como um "manual de devoção". Os Percy, a famosa dinastia de políticos, escritores e agricultores sulistas (LeRoy Percy, senador dos Estados Unidos; William Alexander Percy, *Lanterns on the Levee*; e Walker Percy, *The Moviegoer*) que salvaram milhares de vidas durante a enchente de 1927, eram notórios adeptos das obras dos estoicos porque, como escreveu um deles, "quando tudo está perdido, aquilo permanece firme."

Em 1908, o banqueiro, industrial e senador Robert Hale Ives Goddard doou uma estátua equestre de Marco Aurélio à Brown University. Cerca de oitenta anos após a doação de Goddard, o poeta, dissidente e prisioneiro político soviético Joseph Brodsky escreveu em seu famoso ensaio sobre a versão original daquela mesma estátua de Marco Aurélio em Roma que "se *Meditações* é antiguidade, nós somos as ruínas." Assim como Brodsky, James Stockdale passou um tempo preso — sete anos e meio em um campo de prisioneiros vietcongue. Ao saltar de paraquedas de seu avião, Stockdale disse para si mesmo: "Estou deixando o mundo da tecnologia e entrando no mundo de Epicteto."

Hoje, Bill Clinton relê Marco Aurélio todos os anos. Wen Jiabao, o ex-primeiro-ministro da China, afirma que *Meditações* é um dos dois livros com o qual viaja e que o leu mais de cem vezes ao longo da vida. O consagrado autor e investidor Tim Ferriss refere-se ao estoicismo como seu "sistema operacional" — e, seguindo a tradição daqueles que vieram antes dele, conseguiu impulsionar a sua adoção em todo o Vale do Silício.

Você pode não se ver como um "filósofo", mas, afinal, a maioria desses homens e mulheres também não se viam assim. No entanto, de acordo com todos os parâmetros, era isso o que eram. E, agora, você também é. Você é uma pessoa de ação. E o fio do estoicismo percorre a sua vida assim como percorreu a deles — assim como percorreu toda a história, às vezes explicitamente, às vezes não.

A essência da filosofia é a ação: a capacidade de virar o obstáculo de cabeça para baixo com nossa mente, compreender os nossos problemas pelo que há dentro deles e seu contexto mais amplo, ver os acontecimentos filosoficamente e agir de acordo.

Como tentei mostrar neste livro, inúmeros outros incorporaram as melhores práticas do estoicismo e da filosofia sem nem mesmo saberem disso. Esses indivíduos não eram escritores ou oradores, eram pessoas produtivas, assim como você.

Ao longo dos séculos, porém, esse tipo de sabedoria foi tirada de nós, cooptada e deliberadamente obscurecida por acadêmicos egoístas e reservados que nos privaram da verdadeira utilidade da filosofia: a de ser um sistema operacional para as dificuldades e sofrimentos da vida.

A filosofia nunca foi aquilo que acontece na sala de aula. Sempre foi um conjunto de lições do campo de batalha da vida.

Manual de Epicteto — título da famosa obra de Epicteto, no original *Enchiridion* — significa "perto da mão" ou, como querem alguns, "em suas mãos". É para isso que a filosofia foi feita: para estar em suas mãos, para ser uma extensão de seu ser. Não é algo que você lê uma vez e guarda na estante. Como Marco Aurélio escreveu, seu objetivo é nos tornar boxeadores em vez de esgrimistas: para empunharmos as nossas armas, basta fecharmos os punhos.

De uma maneira modesta, espero que este livro tenha traduzido essas lições e o tenha fortalecido com elas.

Agora você é um filósofo e uma pessoa de ação. E isso não é uma contradição.

AGRADECIMENTOS

Fui apresentado ao estoicismo pelo dr. Drew Pinsky. Eu estava na faculdade e fui convidado para uma pequena reunião de jornalistas universitários que o dr. Drew — então anfitrião do Loveline — estava organizando. Ao fim do encontro, ele estava parado em um canto e eu me aproximei cautelosamente para perguntar se ele me recomendaria a leitura de algum livro. Ele disse que estava estudando um filósofo chamado Epicteto e que eu deveria dar uma olhada.

Voltei para o meu quarto de hotel e encomendei o livro na Amazon junto a outro, *Meditações*, de Marco Aurélio. O primeiro a chegar foi *Meditações*, traduzido por Gregory Hays. A partir de então, minha vida nunca mais foi a mesma.

Quero agradecer a Samantha, minha namorada, a quem amo mais do que ninguém. Estávamos namorando havia apenas algumas semanas, mas eu descobri que ela era especial quando saiu e comprou *Meditações*, o livro do qual eu andava falando sem parar. Ela merece crédito extra apenas por ter suportado meus muitos momentos particulares e reconhecidamente não estoicos ao longo dos anos. Obrigado por ter me acompanhado em muitas caminhadas nas quais eu pensava em voz alta. Quero agradecer minha cadela, Hanno — não que ela esteja lendo isso —, que me lembra constantemente o que é alegria pura e honesta e de que devo viver no presente.

O livro que você acabou de ler não teria sido possível sem a edição e as longas conversas que tive com Nils Parker. Não existiria sem Stephen Hanselman, meu agente, que o defendeu, e minha editora, Niki Papadopoulos, que acreditou e lutou pelo que seria um afastamento radical de meu primeiro livro. Agradeço a Adrian Zackheim por me dar a chance e me proporcionar um lar como redator da Portfolio.

Preciso agradecer ao meu mestre, professor e mentor Robert Greene, que não apenas subsidiou a leitura de muitos dos livros que usei como fonte, como também me ensinou a arte de elaborar uma mensagem e um livro. Seus comentários sobre os meus originais foram inestimáveis.

Agradeço a Aaron Ray e Tucker Max, que me mostraram que uma vida filosófica e uma vida de ação não eram incompatíveis. Foi Tucker quem me encorajou a ler (e quem me disse para ler Epicteto junto a Marco Aurélio. Acabei de encontrar alguns e-mails antigos e cativantes nos quais faço um milhão de perguntas após ter lido ambos os livros). Agradeço especialmente a Aaron, que me tirou da escola e me forçou a viver no mundo real. Agradeço a Tim Ferriss por me encorajar a escrever sobre o estoicismo em seu site em 2009 e por nossa longa conversa em Amsterdã, que proporcionou grandes acréscimos ao livro.

Agradeço a Jimmy Soni e Rob Goodman por suas excelentes observações (e pelo livro sobre Catão), Shawn Coyne por sua sugestão de uma estrutura em três partes, Brett Mckay do blog The Art of Manliness por suas recomendações de leitura e Matthias Meister por sua visão e orientação sobre o jiu-jítsu brasileiro. Agradecimentos a Garland Robinette, Amy Holiday, Brent Underwood e Michael Tunney, por seus pensamentos e feedback. Obrigado a /r/stoicism no Reddit, uma grande comunidade que respondeu minhas perguntas e provocou muitas outras. Agradecimentos a New Stoa por suas contribuições ao estoicismo on-line ao longo dos anos.

Além das fontes, quero agradecer profundamente a muitas outras pessoas e escritores que me expuseram as histórias e fragmentos de sabedoria deste livro — transferi muito disso para meu texto e fiquei tão impressionado com as lições aprendidas que nem sempre registrei a atribuição. Vejo este livro como uma coleção de pensamentos e ações de pessoas melhores e mais inteligentes do que eu. Espero que você o leia da mesma forma e atribua qualquer crédito merecido de acordo.

Devo agradecer ao National Arts Club, ao Los Angeles Athletic Club, à Biblioteca Pública de Nova York, às bibliotecas da Universidade da Califórnia, Riverside e a vários Starbucks e aviões onde escrevi ou pesquisei este livro.

BIBLIOGRAFIA SELECIONADA

Alinsky, Saul. *Rules for Radicals*. Nova York: Vintage, 1989.
Aurelius, Marcus. *Meditations: A New Translation* (Modern Library). Traduzido por Gregory Hays. Nova York: Modern Library, 2002.
Bakewell, Sarah. *Como viver: Ou uma biografia de Montaigne em uma pergunta e vinte tentativas de resposta*. Rio de Janeiro: Objetiva, 2012.
Becker, Gavin de. *Virtudes do medo*. Rio de Janeiro: Rocco, 1999.
Bell, Madison Smartt. *Toussaint Louverture: A Biography*. Nova York: Pantheon, 2007.
Bonforte, John. *The Philosophy of Epictetus*. Literary Licensing, LLC, 2011.
Brodsky, Joseph. *On Grief and Reason: Essays*. Nova York: Farrar, Straus and Giroux, 1995.
Carroll, Paul B.; Mui, Chunka. *Billion Dollar Lessons: What You Can Learn from the Most Inexcusable Business Failures of the Last 25 Years*. Nova York: Portfolio Trade, 2009.
Chernow, Ron. *Titan: The Life of John D. Rockefeller, Sr*. Nova York: Random House, 1998.
Cicero, Marcus Tullius. *On the Good Life* (Penguin Classics). Traduzido por Michael Grant. Nova York: Penguin, 1971.

Cohen, Herb. *Você pode negociar qualquer coisa*. Rio de Janeiro: Record, 2000.

Cohen, Rich. *The Fish That Ate the Whale: The Life and Times of America's Banana King*. Nova York: Farrar, Straus and Giroux, 2012.

Critchley, Simon. *The Book of Dead Philosophers*. Nova York: Vintage, 2009.

Dio, Cassius. *The Roman History: The Reign of Augustus*. Nova York: Penguin, 1987.

Doyle, Charles Clay; Mieder, Wolfgang; Shapiro, Fred R. *The Dictionary of Modern Proverbs*. New Haven: Yale University Press, 2012.

Earhart, Amelia. *The Fun of It: Random Records of My Own Flying and of Women in Aviation*. Reedição. Chicago: Academy Chicago Publishers, 2000.

Emerson, Ralph Waldo. *Nature and Selected Essays*. Nova York: Penguin, 2003.

Epictetus. *Discourses and Selected Writings* (Penguin Classics). Traduzido por Robert Dobbin. Nova York: Penguin, 2008.

Epicurus. *The Essential Epicurus (Great Books in Philosophy)*. Traduzido por Eugene O'Connor. Buffalo: Prometheus Books, 1993.

Evans, Jules. *Filosofia para a vida*. São Paulo: Leya, 2013.

Everitt, Anthony. *The Rise of Rome: The Making of the World's Greatest Empire*. Nova York: Random House, 2012.

Feynman, Richard P. *Classic Feynman: All the Adventures of a Curious Character*. Editado por Ralph Leighton. Nova York: W. W. Norton, 2005.

Frankl, Viktor E. *Em busca de sentido*. Petrópolis: Vozes, 2021.

Fraser, David. *Knight's Cross: A Life of Field Marshal Erwin Rommel*. Nova York: Harper Perennial, 1994.

Fronto, Marcus Cornelius. *Marcus Cornelius Fronto: Correspondence, I*. Traduzido por C. R. Haines. Cambridge: Harvard University Press, 1919.

Goodman, Rob; Soni, Jimmy. *Rome's Last Citizen: The Life and Legacy of Cato, Mortal Enemy of Caesar*. Nova York: Thomas Dunne Books, 2012.

Graham-Dixon, Andrew. *Caravaggio: A Life Sacred and Profane*. Nova York: W. W. Norton, 2012.

Grant, Ulysses S. *Ulysses S. Grant: Memoirs and Selected Letters: Personal Memoirs of U. S. Grant/Selected Letters, 1839-1865*. Nova York: Library of America, 1990.

Greenblatt, Stephen. *Como Shakespeare se tornou Shakespeare*. São Paulo: Companhia das Letras, 2011.

———. *Maestria*. Rio de Janeiro: Sextante, 2013.

Greene, Robert. *As 48 leis do poder*. Rio de Janeiro: Rocco, 2021.

———. *33 estratégias de guerra*. Rio de Janeiro: Rocco, 2022.

Greene, Robert; 50 Cent. *The 50th Law*. Nova York: Harper, 2009.

Greitens, Eric. *The Heart and the Fist: The Education of a Humanitarian, the Making of a Navy SEAL*. Nova York: Houghton Mifflin Harcourt, 2011.

Hadot, Pierre. *The Inner Citadel: The Meditations of Marco Aurélio*. Traduzido por Michael Chase. Cambridge: Harvard University Press, 2001.

———. *Philosophy as a Way of Life: Spiritual Exercises from Socrates to Foucault*. Traduzido por Arnold Davidson. Malden: Wiley-Blackwell, 1995.

———. *O que é filosofia antiga?* São Paulo: Loyola, 1999.

Haley, Alex. *The Autobiography of Malcolm X: As Told to Alex Haley*. Nova York: Ballantine Books, 1987.

Hart, B. H. Liddell. *Strategy*. Nova York: Penguin, 1991.

Heraclitus. *Fragments* (Penguin Classics). Traduzido por Brooks Haxton. Nova York: Penguin, 2003.

Hirsch, James S. Hurricane: *The Miraculous Journey of Rubin Carter*. Nova York: Houghton Mifflin Harcourt, 2000.

Isaacson, Walter. *Steve Jobs*. São Paulo: Companhia das Letras, 2011.

John, Tommy; Valenti Dan. *TJ: My 26 Years in Baseball*. Nova York: Bantam, 1991.

Johnson, Jack. *My Life and Battles*. Editado e traduzido por Christopher Rivers. Washington, DC: Potomac Books, 2009.

Johnson, Paul. *Churchill*. Nova York: Viking, 2009.

———. *Napoleon: A Life*. Nova York: Viking, 2002.

Johnson, Samuel. *The Witticisms, Anecdotes, Jests, and Sayings, of Dr. Samuel Johnson, During the Whole Course of His Life*. Farmington Hills, MI: Gale ECCO Press, 2010.

Josephson, Matthew. *Edison: A Biography*. Nova York: Wiley, 1992.

Kershaw, Alex. *The Liberator: One World War II Soldier's 500-Day Odyssey from the Beaches of Sicily to the Gates of Dachau*. Nova York: Crown, 2012.

Lickerman, Alex. *The Undefeated Mind: On the Science of Constructing an Indestructible Self*. Deerfield Beach: HCI, 2012.

Lorimer, George Horace. *Old Gorgon Graham: More Letters from a Self-Made Merchant to His Son*. Nova York: Cosimo Classics, 2006.

McCain, John; Salter, Mark. *Faith of My Fathers: A Family Memoir*. Nova York: HarperCollins, 1999.

McPhee, John. *Levels of the Game*. Nova York: Farrar, Straus e Giroux, 1979.

———. *A Sense of Where You Are: Bill Bradley at Princeton*. Nova York: Farrar, Straus and Giroux, 1999.

Marden, Orison Swett. *An Iron Will*. Radford, VA: Wilder Publication, 2007.

———. *How They Succeeded: Life Stories of Successful Men Told by Themselves*. Hong Kong: Forgotten Books, 2012.

Meacham, Jon. *Thomas Jefferson: The Art of Power*. Nova York: Random House, 2012.

Millard, Candice. *O rio da dúvida: A sombria viagem de Theodore Roosevelt e Rondon na Amazônia*. São Paulo: Companhia das Letras, 2007.

———. *Destiny of the Republic: A Tale of Madness, Medicine and the Murder of a President*. Nova York: Doubleday, 2011.

Montaigne, Michel de. *Os ensaios: Uma seleção*. São Paulo: Penguin Companhia, 2010.

Morris, Edmund. *The Rise of Theodore Roosevelt*. Nova York: Random House, 2010.

Musashi, Miyamoto. *O livro dos cinco anéis*. Rio de Janeiro: Nova Fronteira, 2011.

Oates, Whitney J. *The Stoic and Epicurean Philosophers: The Complete Extant Writings of Epicurus, Epictetus, Lucretius, Marcus Aurelius*. Nova York: Random House, 1940.

Paul, Jim; Moynihan, Brandon. *What I Learned Losing a Million Dollars*. Nova York: Columbia University Press, 2013.

Percy, William Alexander. *Lanterns on the Levee: Recollections of a Planter's Son*. Baton Rouge: LSU Press, 2006.

Plutarch. *The Makers of Rome: Nine Lives* (Penguin Classics). Traduzido por Ian Scott-Kilvert. Nova York: Penguin, 1965.

———. *Essays*. Editado por Ian Kidd. Traduzido por Robin H. Waterfield. Nova York: Penguin, 1993.

———. *On Sparta* (Penguin Classics). Traduzido e editado por Richard J. A. Talbert. Nova York: Penguin, 2005.

Pressfield, Stephen. *A guerra da arte*. Rio de Janeiro: Ediouro, 2005.

———. *The Warrior Ethos*. Nova York: Black Irish Entertainment, 2011.

———. *Torne-se um profissional: Como superar seus limites internos e triunfar nas batalhas da vida*. São Paulo: Cultrix, 2021.

Ries, Eric. *A startup enxuta*. Rio de Janeiro: Sextante, 2019.

Roosevelt, Theodore. *Strenuous Epigrams of Theodore Roosevelt*. Nova York: HM Caldwell, 1904.

Sandlin, Lee. "Losing the War." *Chicago Reader*, Illinois, 6 de março de 1997.

———. *Storm Kings: The Untold History of America's First Tornado Chasers*. Nova York: Pantheon, 2013.

Schopenhauer, Arthur. *Essays and Aphorisms* (Penguin Classics). Traduzido por R. J. Hollingdale. Nova York: Penguin, 1973.

———. *The Wisdom of Life and Counsels and Maxims*. Traduzido por T. Bailey Saunders. Buffalo: Prometheus Books, 1995.

Scott-Maxwell, Florida. *The Measure of My Days*. Nova York: Penguin, 1979.

Sellars, John. *Stoicism*. Berkeley: University of California Press, 2006.

Seneca, Lucius Annaeus. *Stoic Philosophy of Seneca: Essays and Letters*. Traduzido por Moses Hadas. Nova York: W. W. Norton, 1968.

———. *Letters from a Stoic* (Penguin Classics). Traduzido por Robin Campbell. Nova York: Penguin, 1969.

———. *Sobre a brevidade da vida*. São Paulo: Penguin Companhia das Letras, 2017.

Shenk, Joshua Wolf. *Lincoln's Melancholy: How Depression Challenged a President and Fueled His Greatness*. Nova York: Houghton Mifflin Harcourt, 2005.

Sherman, William Tecumseh. *Memoirs of General W. T. Sherman*. (Library of America). Nova York: Library of America, 1990.

BIBLIOGRAFIA SELECIONADA

Simpson, Brooks D. *Ulysses S. Grant: Triumph Over Adversity, 1822-1865*. Nova York: Houghton Mifflin Harcourt, 2000.
Smiles, Samuel. *Self-Help*. Berkeley: University of California Libraries, 2005.
Smith, Jean Edward. *Eisenhower in War and Peace*. Nova York: Random House, 2012.
Stockdale, James B. *Courage Under Fire: Testing Epictetus's Doctrines in a Laboratory of Human Behavior*. Stanford: Hoover Institution Press, 1993.
Taleb, Nassim Nicholas. *A cama de Procusto: Aforismos filosóficos e práticos*. São Paulo: Objetiva, 2022.
———. *Antifrágil: Coisas que se beneficiam com o caos*. São Paulo: Objetiva, 2020.
Taliaferro, John. *All the Great Prizes: The Life of John Hay, from Lincoln to Roosevelt*. Nova York: Simon & Schuster, 2013.
Vasari, Giorgio. *Vidas dos artistas*. São Paulo: WMF Martins Fontes, 2020.
Virgilio. *Eneida*. São Paulo: Editora 34, 2021.
Washington, George. *Washington on Courage: George Washington's Formula for Courageous Living*. Nova York: Skyhorse Publishing, 2012.
Watson, Paul Barron. *Marcus Aurelius Antoninus*. Nova York: Harper & Brothers, 1884.
Wilder, Laura Ingalls. *Writings to Young Women from Laura Ingalls Wilder — Volume Two: On Life as a Pioneer Woman*. Editado por Stephen W. Hines. Nashville: Tommy Nelson, 2006.
Wolfe, Tom. *Um homem por inteiro*. Rio de Janeiro: Rocco, 1999.
———. *Os eleitos*. Rio de Janeiro: Rocco, 2021.
Xenophon. *Xenophon's Cyrus the Great: The Arts of Leadership and War*. Edited by Larry Hedrick. Nova York: Truman Talley Books, 2006.

LISTA DE LEITURA ESTOICA

O estoicismo é talvez a única "filosofia" na qual os textos primários originais são, na verdade, mais limpos e mais fáceis de ler do que qualquer obra que os acadêmicos tenham escrito posteriormente. O que é incrível porque significa que você pode mergulhar no assunto e ir direto à fonte. Acredito firmemente que todos são capazes de ler esses escritores tão acessíveis. Abaixo estão as minhas recomendações sobre traduções para o inglês específicas e, em seguida, alguns textos adicionais que valem a pena uma olhada.

Meditations **(Modern Library) por Marco Aurélio.** Se há *uma* tradução de Marco Aurélio a ser lida, essa é a incrível edição de Gregory Hays para a Modern Library. Tudo o mais fica tristemente aquém. Sua versão é completamente desprovida de qualquer arcaísmo literário. É linda e definitiva. Já recomendei este livro para literalmente milhares de pessoas. Compre. Mudará a sua vida. No Brasil, há várias edições disponíveis, com o título *Meditações*.

Letters of a Stoic **por Sêneca** (veja também: *On the Shortness of Life*). Ambas as traduções da Penguin são fantásticas. Sêneca ou Marco Aurélio são os melhores pontos por onde começar se você está procurando explorar o estoicismo. Sêneca parece que seria um cara divertido de se conhecer — o que é incomum para um estoico. Sugiro começar com *On the Shortness of Life* (uma coleção de pequenos ensaios) e, em seguida, passar para seu livro de cartas (que, na verdade, são mais ensaios do que correspondência verdadeira). Publicado no Brasil com o título *Sobre a brevidade da vida*.

Discourses **(Penguin) por Epicteto.** Pessoalmente, prefiro as traduções da Penguin, mas tentei várias outras e descobri que as diferenças são relativamente insignificantes. Dos três grandes, Epicteto é o mais enfadonho e o menos divertido de ler. Mas, de vez em quando, ele também expressa algo de uma maneira tão clara e profunda que o abalará profundamente.

As traduções acima foram as que usei para este livro.

OUTROS LIVROS E AUTORES

Eu sei que parecerá radical, mas recomendo fortemente que você fique longe da maioria dos outros livros *sobre* estoicismo (e eu os li) com uma exceção: as obras de Pierre Hadot. Embora todos os outros acadêmicos e divulgadores do estoicismo em geral não entendam ou compliquem as coisas desnecessariamente, Hadot as esclarece. Sua interpretação de Marco Aurélio no livro *The Inner Citadel*, a de que Marco não estava escrevendo uma explicação sistêmica do universo e, sim, criando um conjunto de exercícios práticos que o próprio imperador estava praticando — foi um grande salto adiante. Seu livro *Philosophy as a Way of Life* explica como a filosofia foi erroneamente interpretada como algo sobre o que as pessoas falam, não como algo que as pessoas fazem. Se você realmente deseja mergulhar na filosofia prática, Hadot é o escritor a ser lido. (Suas traduções para o inglês de Sêneca, Marco Aurélio e Epicteto — que ele mesmo faz a partir dos originais em sua análise — também são muito boas.)

Alguns outros grandes autores/filósofos a serem lidos, especialmente seus livros de máximas ou aforismos, que estão de acordo com muito do pensamento estoico, são:

Heráclito
Plutarco
Sócrates
Cícero
Montaigne
Schopenhauer

MATÉRIAS SOBRE ESTOICOS E RECURSOS ON-LINE (CONTEÚDO EM INGLÊS)

FERRISS, Tim. "Stoicism 101: A Practical Guide for Entrepreneurs". The blog of author Tim Ferriss, 2009. Disponível em: <www.fourhourworkweek.com/blog/2009/04/13/stoicism-101-a-practical-guide-for-entrepreneurs/>. Acesso em: 13 de jan. de 2022.

FERRISS, Tim. "Stoicism for Modern Stresses: 5 Lessons from Cato". The blog of author Tim Ferriss, 2012. Disponível em: <www.fourhourworkweek.com/blog/2012/10/09/stoicism-for-modern-stresses-5-lessons-from-cato/>. Acesso em: 13 de jan. de 2022.

FERRISS, Tim. "How to Use Philosophy as a Personal Operating System: From Seneca to Musashi". The blog of author Tim Ferriss, 2018. Disponível em: <tim.blog/2011/05/18/philosophy-as-a-personal-operating-system-from-seneca-to-musashi/>. Acesso em: 13 de jan. de 2022.

Você pode se dedicar aos estudos sobre estoicismo na The College of Stoic Philosophers, escola on-line dedicada à filosofia estoica com conteúdos disponíveis em inglês.

Há diversos registros sobre estoicismo disponíveis no Reddit. Você pode encontrá-los em: www.reddit.com/r/Stoicism.

Talvez você encontre o melhor conteúdo sobre estoicismo no blog philosophy-of-cbt.com.

O blog do proeminente autor sobre estoicismo, Jules Evans, também é uma excelente fonte sobre o assunto. Você pode acessá-lo através do link: philosophyforlife.org

LEITURAS RECOMENDADAS

Este livro e suas histórias foram resultado dos livros que tive a sorte de encontrar em minha vida. A cada mês, copilo o que leio em um pequeno e-mail com recomendações de livros, que envio para minha rede de amigos e contatos. A lista começou com cerca de quarenta inscritos e agora é recebida e lida por dez mil pessoas em todo o mundo. No total, já recomendei, discuti e conversei on-line a respeito de mais de mil livros com esses colegas leitores nos últimos cinco anos.

Se você deseja se juntar a nós e receber essas recomendações, inscreva-se em: ryanholiday.net/reading-list/.

Ou você pode simplesmente enviar um e-mail para ryan.holiday@gmail.com e dizer que deseja receber o e-mail (basta colocar Reading List na linha de assunto).

- intrinsecaeditora
- @editoraintrinseca
- @intrinseca
- editoraintrinseca
- @intrinseca
- intrinseca.com.br

1ª edição	AGOSTO DE 2022
reimpressão	JANEIRO DE 2025
impressão	BARTIRA
papel de miolo	IVORY BULK 65 G/M²
papel de capa	CARTÃO SUPREMO ALTA ALVURA 250 G/M²
tipografia	REGISTER